D1050800

LE JEU DES POSSIBLES

FRANÇOIS JACOB

Le Jeu des possibles

ESSAI SUR
LA DIVERSITÉ DU VIVANT

FAYARD

ISBN : 978-2-253-03907-5 - 1re publication - LGF

« On ne peut pas croire des choses impossibles [*dit Alice*].

– Je suppose que tu manques d'entraînement, dit la Reine... Il m'est arrivé quelquefois de croire jusqu'à six choses impossibles avant le petit déjeuner. »

LEWIS CARROLL :
De l'autre côté du miroir.

AVANT-PROPOS

Les ouvrages du XVIe siècle consacrés à la zoologie sont souvent illustrés de superbes gravures représentant les animaux qui peuplent la terre. Dans certains de ces livres, on trouve une description minutieuse de chiens à tête de poisson, d'hommes à pattes de poulet ou de femmes à plusieurs têtes de serpent. La notion de monstres où se réassortissent les caractères d'espèces différentes n'est pas, en elle-même, particulièrement surprenante : chacun a imaginé ou dessiné de tels hybrides. Ce qui nous déconcerte dans ces ouvrages, c'est qu'au XVIe siècle ces créatures appartenaient, non au monde de l'imaginaire, mais à la réalité. Nombre de gens les avaient rencontrées et pouvaient en fournir un portrait détaillé. Ces monstres côtoyaient les animaux familiers de la vie de tous les jours. Ils restaient, pour ainsi dire, dans les limites du possible.

Mais ne rions pas : nous faisons la même chose, avec nos livres de science-fiction par exemple. Les abominables créatures qui chassent le pauvre astronaute perdu sur quelque planète lointaine sont toujours les produits d'une recombinaison entre organismes terrestres. Les êtres venus du fond de l'espace pour explorer notre planète ont toujours un aspect humain. On les voit le plus souvent représentés au sortir de leurs soucoupes volantes : ce sont clairement des vertébrés, des mammifères sans le moindre doute, marchant debout sur leurs pattes de derrière. Les seules variantes concernent la taille du corps et le nombre des yeux. Bien souvent, ces créatures sont dotées d'un crâne plus volumineux que le nôtre pour suggérer un plus gros cerveau; elles sont parfois munies d'antennes radio sur la tête pour évoquer des organes sensoriels particulièrement raffinés. L'étonnant, là encore, c'est ce qui est considéré comme possible. C'est, cent vingt ans après Darwin, la conviction que, si la vie survient n'importe où dans l'univers, elle est tenue de produire des animaux voisins de ceux qui vivent sur la terre; mieux encore, qu'elle doit nécessairement évoluer vers quelque chose de semblable aux êtres humains.

L'intérêt de toutes ces créatures, c'est de montrer comment une culture manie le possible et en trace les limites. Qu'il s'agisse de groupes ou d'individus, toute vie humaine fait intervenir un dialogue continu entre ce qui pourrait être et ce qui est. Un mélange subtil de croyance, de savoir et d'imagination construit devant nos yeux l'image sans cesse modifiée du possible. C'est à cette image que nous confrontons nos désirs et nos craintes. C'est sur ce possible que nous modelons notre comportement et nos actions. En un sens, beaucoup d'activités humaines, les arts, les sciences, les techniques, la politique, ne sont que des manières particulières, chacune avec ses règles propres, de jouer le jeu des possibles.

Contrairement à ce qu'on croit souvent, l'important dans la science, c'est autant l'esprit que le produit. C'est autant l'ouverture, la primauté de la critique, la soumission à l'imprévu, si contrariant soit-il, que le résultat, si nouveau soit-il. Il y a belle lurette que les scientifiques ont renoncé à l'idée d'une vérité ultime et intangible, image exacte d'une « réalité » qui attendrait au coin de la rue d'être dévoilée. Ils savent maintenant devoir se contenter du partiel et du provisoire. Une telle démarche procède souvent à l'encontre de la pente naturelle à l'esprit humain qui réclame unité et cohérence dans sa représentation du monde sous ses aspects les plus divers. De fait, ce conflit entre l'universel et le local, entre l'éternel et le provisoire, on le voit périodiquement réapparaître dans une série de polémiques opposant ceux qui refusent une vision totale et imposée du monde à ceux qui ne peuvent s'en passer. Que la vie et l'homme soient devenus objets de recherche et non plus de révélation, peu l'acceptent.

Depuis quelques années, on fait beaucoup de reproches aux scientifiques. On les accuse d'être sans cœur et sans conscience, de ne pas s'intéresser au reste de l'humanité; et même d'être des individus dangereux qui n'hésitent pas à découvrir des moyens de destruction et de coercition terribles et à s'en servir. C'est leur faire beaucoup d'honneur. La proportion d'imbéciles et de malfaisants est une constante qu'on retrouve dans tous les échantillons d'une population, chez les scientifiques comme chez les agents d'assurance, chez les écrivains comme chez les paysans, chez les prêtres comme chez les hommes politiques. Et malgré le Dr Frankenstein et le Dr Folamour, les catastrophes de l'histoire sont le fait moins des scientifiques que des prêtres et des hommes politiques.

Car ce n'est pas seulement l'intérêt qui fait s'entre-tuer les hommes. C'est aussi le dogmatisme. Rien n'est aussi dangereux que la certitude d'avoir raison. Rien ne cause autant de destruction que l'obsession d'une vérité considérée comme absolue. Tous les crimes de l'histoire sont des conséquences de quelque fanatisme. Tous les massacres ont été accomplis par vertu, au nom de la religion vraie, du nationalisme légitime, de la politique idoine, de l'idéologie juste; bref au nom du combat contre la vérité de l'autre, du combat contre Satan. Cette froideur et cette objectivité qu'on reproche si souvent aux scientifiques, peut-être conviennent-elles mieux que la fièvre et la subjectivité pour traiter certaines affaires humaines. Car ce ne sont pas les idées de la science qui engendrent les passions. Ce sont les passions qui utilisent la science pour soutenir leur cause. La science ne conduit pas au racisme et à la haine. C'est la haine qui en appelle à la science pour justifier son racisme. On peut reprocher à certains scientifiques la fougue qu'ils apportent parfois à défendre leurs idées. Mais aucun génocide n'a encore été perpétré pour faire triompher une théorie scientifique. A la fin de ce XXe siècle, il devrait être clair pour chacun qu'aucun système n'expliquera le monde dans tous ses aspects et tous ses détails. Avoir contribué à casser l'idée d'une vérité intangible et éternelle n'est peut-être pas l'un des moindres titres de gloire de la démarche scientifique.

*

Il est question d'hérédité et de reproduction dans ce livre. Il est question de sexe, de vieillissement et de molécules. Avant tout, il est question de la théorie de l'évolution, de son statut comme de son contenu. Car si la théorie de l'évolution fournit un cadre sans lequel il n'y a guère de chance de comprendre d'où nous venons et ce que nous sommes, il importe aussi de préciser les limites au-delà desquelles elle fonctionne, non plus comme une théorie scientifique mais comme un mythe.

Au cours de ces dernières années, j'ai discuté certaines de ces questions dans deux conférences : l'une donnée à l'Institut Weizmann, en Israël, ainsi qu'à l'Université de Californie, à Berkeley, et publiée dans la revue *Science*, puis dans le journal *Le Monde* sous le titre « Evolution et bricolage »; l'autre donnée à l'Académie de Chirurgie, à Paris, et publiée dans le *Journal de Chirurgie*, puis dans le journal *Le Monde*, sous le titre « Mon dissemblable mon frère ». C'est l'invitation à donner les « Jessie and John Danz Lectures » à l'Université de Washington qui m'a fourni l'occasion de développer et d'étendre ces réflexions et d'écrire ce petit livre. J'en remercie tous ceux qui ont quelque responsabilité dans cette invitation et qui m'ont témoigné leur chaleureuse amitié pendant mon séjour à Seattle.

I

MYTHE ET SCIENCE

« Les théories passent. La grenouille reste. »

JEAN ROSTAND,
Carnets d'un biologiste.

Un jour peut-être les physiciens parviendront-ils à montrer que le fonctionnement de l'univers ne pouvait être différent de ce qu'il est. Un jour peut-être arriveront-ils à fonder une théorie prouvant que notre monde est le seul possible, qu'on ne peut concevoir une matière douée d'autres propriétés. Il est cependant difficile de ne pas trouver de l'arbitraire, voire de la fantaisie, dans la structure et le fonctionnement de la nature. Dans un conte de mon enfance, une fée donnait au jeune prince le conseil suivant : « Joue du cor et le château de l'ogre s'écroulera. » Dans la Bible, Joshua fait tomber les murailles de Jéricho en sonnant de la trompe. Dans ces deux univers, il existe clairement une relation causale entre le fait de souffler dans un instrument et la chute des murs. C'est ainsi que fonctionne le monde. Les choses sont comme ça. Toutes proportions gardées, il y a aussi de l'arbitraire dans notre univers physique. Là encore les choses sont comme ça. Il est difficile, pour moi en tout cas, d'imaginer un monde où un et un ne feraient pas deux. Il y a dans cette relation un aspect inévitable; peut-être parce qu'elle reflète la manière même dont fonctionne notre cerveau. En revanche, on peut parfaitement imaginer un monde dans lequel les lois physiques seraient différentes; dans lequel la glace, par exemple, au lieu de monter à la surface tomberait au fond de l'eau; ou dans lequel une pomme, au lieu de tomber de l'arbre, jaillirait pour disparaître dans le ciel.

C'est peut-être dans le monde vivant que se manifeste le plus nettement cette contingence. Non seulement parce que les êtres vivants pourraient avoir des formes très différentes, mais aussi à cause de leur fonctionnement, de certaines particularités comme la mort et la reproduction. Il est difficile de voir quelque nécessité dans le fait que les arbres ont des fruits. Ou que les animaux vieillissent. Ou dans la sexualité. Pourquoi faut-il se mettre à deux pour en faire un troisième? Pourquoi seule de toutes les fonctions du corps, la reproduction est-elle assurée par un organe dont un individu ne possède jamais que la moitié, ce qui l'oblige à dépenser beaucoup de temps et d'énergie pour trouver une autre moitié?

De fait, la sexualité n'est pas une condition nécessaire à la vie. Nombre d'organismes n'ont pas de sexe et paraissent pourtant assez heureux. Ils se reproduisent par fission ou bourgeonnement. Un seul organisme suffit alors pour en produire deux identiques. Alors pourquoi pas nous? Pourquoi la plupart des animaux et des plantes doivent-ils se mettre à deux pour parvenir au même résultat? Et pourquoi deux sexes plutôt que trois? Car rien n'empêche d'imaginer un monde où la production d'un être humain exigerait le concours non pas de deux, mais de trois individus différents. Que de conséquences à la nécessité de tels ménages à trois ! Que de thèmes neufs pour les romanciers, de variations pour les psychologues, de complications pour les juristes ! Mais peut-être serait-ce trop. Peut-être ne résisterions-nous pas à tant de délices et de tourments. Contentons-nous de nos deux sexes.

L'existence de ces deux sexes, chaque culture humaine la justifie par certains des mythes sur quoi elle fonde l'origine du monde, des bêtes et des hommes. Mais il n'y a jamais que deux manières d'envisager la genèse des sexes et les mythologies ont brodé à l'infini sur ces deux thèmes. On peut tout d'abord voir dans la sexualité un phénomène primaire, pour ainsi dire. Les deux sexes sont aussi vieux que le monde lui-même. Avant eux, la vie ne pouvait exister. La dualité sexuelle reflète la dualité cosmique, les deux pôles de forces qui sont censées régir le monde et qu'on observe à travers toute la nature : le jour et la nuit, le ciel et la terre, l'eau et le feu. Tels sont le Yin et le Yang du Taoïsme, principes mâle et femelle d'où dérivent toute chose, toute vie, tout mouvement. De même, dans la cosmogonie summérienne l'eau, qui constitue la manifestation primitive de la vie du monde, se présente sous un double aspect : Apsu, eau douce ou principe mâle, et Tiamat, eau salée ou principe femelle; de l'union d'Apsu et de Tiamat naît Mummu, sorte d'eau animée qui possède esprit et logos. Autre variante dans certains récits de l'Egypte ancienne où, à l'origine, la divinité Khoum était une; mais le premier soin du démiurge fut de créer un couple, Chou et Tefnout, qui engendrèrent alors l'humanité par les voies familières aux couples. Dernière et intéressante variation, celle du Véda où le premier couple créé se compose de jumeaux,

Yami et Yama. C'est alors d'un inceste originel que naît l'espèce humaine.

Mais on peut tout aussi bien considérer la dualité sexuelle comme un phénomène secondaire. Ce qui fut créé était un. C'est seulement après coup qu'il est devenu deux. Les variations concernent alors la manière dont se sont formés les deux sexes, l'événement qui a brisé l'unité originelle. Dans les Upanishads, c'est le Dieu qui, voulant échapper à sa solitude, se résout lui-même en deux moitiés de sexes opposés qui engendrent alors l'humanité. Pour d'autres cultures, au contraire, la différenciation sexuelle apparaît chez des êtres qui ne sont ni tout à fait des dieux ni tout à fait des hommes. Dans certains récits de Zarathoustra, par exemple, Yima, l'être créé par le démiurge, représente une sorte de monstre réunissant les deux sexes. Mais cette unité n'est que provisoire, car Yima sera rapidement scié en deux. Même situation dans le récit que fait Aristophane dans le *Banquet* de Platon : à une époque où la sexualité fonctionnait déjà avec beaucoup d'efficacité parmi les déesses et les dieux de l'Olympe, ce qui allait devenir l'humanité n'en était encore qu'au stade d'Androgynes. Ces organismes sphériques étaient pourvus d'une tête à deux visages, de quatre pieds, quatre mains, quatre oreilles et d'une double dose de « parties honteuses ». Ils se déplaçaient à toute vitesse en roulant sur eux-mêmes. Leur vigueur et leur audace finirent par inquiéter Zeus qui décida de les couper en deux « comme on coupe un œuf avec un crin », précise Platon. C'est Apollon qui fut chargé d'opérer les Androgynes puis de les recoudre pour rendre les mortels plus modestes mais d'apparence présentable. Et, depuis lors, chacune de ces moitiés cherche à s'unir à une autre qui, pour les Grecs, n'étaient pas nécessairement de sexe opposé. Enfin, dans une autre variation sur le même thème, celle de l'Ancien Testament, c'est sur son aspect définitif mâle, et non celui d'un monstre précurseur, qu'est créé l'être humain. Secondairement, Eve est tirée d'Adam. En divisant l'unique, en mutilant l'homme de la femme, la genèse les oblige à reformer l'être initial pour se multiplier.

Comme toujours, ces mythes parlent à merveille de la condition humaine, chacun avec sa poésie propre. Par la mutilation originelle, ils expliquent pourquoi le corps humain contient tout ce qui lui est nécessaire pour respirer, pour digérer, pour penser, non pour se reproduire. Procréer, c'est retrouver l'unité initiale. C'est disparaître en tant qu'individu pour se fondre dans l'espèce. Par l'acte sexuel, l'homme et la femme cherchent inlassablement à recomposer l'être unique. Ainsi se trouve justifiée la poursuite éternelle de l'autre, cette série de cycles où l'espèce se divise chaque fois en éléments opposés, chaque fois destinés à s'unir à nouveau.

*

Jusqu'au milieu du XIXe siècle, la science n'avait guère à dire sur la sexualité. Elle ne pouvait qu'en décrire la variété et en donner l'inventaire. C'était là un fait auquel, disait Buffon, « il n'y a d'autre solution à donner que celle du fait même[1] ». C'est une fois énoncée la théorie de l'évolution que la sexualité a pu recevoir un statut scientifique. Alors seulement les questions sur la sexualité ont pu être formulées, non plus en termes d'origine mais de fonction. Et cette fonction a été suggérée par Darwin lui-même et par August Weismann. C'est, écrivait Weismann en 1885[2], de produire « les différences individuelles au moyen desquelles la sélection naturelle crée de nouvelles espèces ».

Car il ne peut y avoir de sélection, donc de changement, qu'entre ce qui n'est pas identique. C'est la variabilité individuelle qui nourrit l'évolution. C'est parce que les individus présentent des singularités héréditaires qu'ils se reproduisent différentiellement, que certains laissent une descendance plus nombreuse que d'autres. Pour Weismann, la sexualité, avec l'extraordinaire variété de ses formes dans le monde vivant, prenait un sens si elle servait à produire la variabilité individuelle.

Pour la biologie moderne, tout être vivant se forme par l'exécution d'un programme inscrit dans ses chromosomes. Chez les organismes sans sexe, se reproduisant par exemple par fission, le programme génétique est exactement recopié à chaque génération. Tous les individus de la population sont alors identiques, à l'exception de quelques rares mutants. De telles populations ne peuvent s'adapter que par la sélection de ces mutants sous la pression du milieu. En revanche, dès lors que la sexualité devient condition nécessaire de la reproduction, chaque programme est formé, non plus par copie exacte d'un seul programme, mais par réassortiment de deux programmes différents. En conséquence, chaque programme génétique, c'est-à-dire chaque individu, devient différent de tous les autres, à l'exception des jumeaux identiques. Chaque enfant conçu par un couple donné est le résultat d'une loterie génétique. Il ne représente qu'une unité dans une vaste cohorte d'enfants possibles dont chacun aurait tout aussi bien pu être conçu par le même couple, à la même occasion, si un autre des millions de spermatozoïdes émis par le père s'était trouvé féconder l'ovule de la mère – un ovule qui n'est lui-même qu'un parmi beaucoup d'autres. Et tous ces enfants possibles auraient été aussi différents les uns des autres que le sont les enfants existants. Si nous prenons une telle peine pour mêler nos gènes à ceux d'un autre, c'est pour être sûr que notre enfant sera différent de nous-même et de tous nos autres enfants. S'il faut être deux pour se reproduire, c'est pour faire autre.

La sexualité est donc considérée comme une machine à faire du différent. Nombre de questions restent encore sans réponse, par exemple la manière dont la sexualité est apparue dans l'évolution, l'avantage relatif de certaines formes de parthénogenèse et d'hermaphrodisme par rapport à la reproduction sexuelle, la proportion des sexes, l'importance, s'il en est, de la sélection de groupe, etc. Mais comme l'ont souligné R. A. Fisher[3] et H. J. Muller[4], puis plus récemment G. C. Williams[5] et J. Maynard Smith[6], le réassortiment du matériel génétique à chaque génération permet de juxtaposer rapidement des mutations favorables qui, chez les organismes dépourvus de sexualité, resteraient séparées. Une population pourvue de sexualité peut donc évoluer plus vite qu'une population qui en est dépourvue. A long terme, les populations sexuées peuvent survivre là où s'éteindraient des populations asexuées. De plus, les organismes à reproduction sexuée offrent une plus grande diversité de phénotypes dans leur descendance. A court terme, ils ont donc plus de chances de produire des individus adaptés aux conditions nouvelles créées par des variations de l'environnement. La sexualité fournit ainsi une marge de sécurité contre les incertitudes du milieu. C'est une assurance sur l'imprévu.

*

A certains égards, mythes et sciences remplissent une même fonction. Ils fournissent tous deux à l'esprit humain une certaine représentation du monde et des forces qui l'animent. Ils délimitent tous deux le champ du possible. Sous leur forme moderne, les sciences sont nées à la fin de la Renaissance, à une époque où l'homme occidental transformait radicalement sa propre relation au monde qui l'entourait; où il tentait avec acharnement de recréer un univers toujours plus conforme au témoignage de ses sens. A partir de la Renaissance, l'art occidental est ainsi devenu totalement différent de tous les autres. Avec l'invention de la perspective et de l'éclairage, de la profondeur et de l'expression, c'est la fonction même de la peinture qu'a transformée l'Europe en quelques générations humaines : au lieu de symboliser, la peinture s'est mise à représenter. La visite d'un musée révèle ainsi une suite d'efforts assez semblables à ceux de la science. Des primitifs aux baroques, les peintres n'ont cessé de perfectionner leurs moyens de représentation, de chercher sans relâche à montrer les choses et les êtres de la manière la plus fidèle et la plus convaincante. En jouant avec les illusions d'optique, ils ont créé un monde nouveau, un monde ouvert à trois dimensions. Entre une

Madone de Cimabue, figée dans ses voiles au creux d'un espace symbolique, et une maîtresse du Titien couchée nue sur son lit, on trouve la même rupture qu'entre le monde clos du Moyen Age et l'univers infini qui apparaît après Giordano Bruno. Car ce changement traduisait, dans le domaine de la peinture, un bouleversement lié à la conquête politique du globe, par quoi l'homme occidental renouvelait la représentation qu'il se faisait du monde. Du XIIIe siècle à l'âge classique, ce n'est pas seulement la représentation picturale que l'Europe a substituée à la symbolisation. C'est aussi l'histoire à la chronique, l'acte à la prière, le drame au mystère, le roman au récit, la polyphonie à la monodie et la théorie scientifique au mythe. Mais c'est sans doute la structure du mythe judéo-chrétien qui a rendu possible la science moderne. Car la science occidentale est fondée sur la doctrine monastique d'un univers ordonné, créé par un Dieu qui reste hors de la nature et la gouverne par des lois accessibles à la raison humaine.

C'est probablement une exigence de l'esprit humain d'avoir une représentation du monde qui soit unifiée et cohérente. Faute de quoi apparaissent anxiété et schizophrénie. Et il faut bien reconnaître qu'en matière d'unité et de cohérence, l'explication mythique l'emporte de loin sur la scientifique. Car la science ne vise pas d'emblée à une explication complète et définitive de l'univers. Elle n'opère que localement. Elle procède par une expérimentation détaillée sur des phénomènes qu'elle parvient à circonscrire et définir. Elle se contente de réponses partielles et provisoires. Qu'ils soient magiques, mythiques ou religieux, au contraire, les autres systèmes d'explication englobent tout. Ils s'appliquent à tous les domaines. Ils répondent à toutes les questions. Ils rendent compte de l'origine, du présent et même du devenir de l'Univers. On peut refuser le type d'explication offert par les mythes ou la magie. Mais on ne peut leur dénier unité et cohérence car, sans la moindre hésitation, ils répondent à toute question et résolvent toute difficulté par un simple et unique argument *a priori.*

A première vue, la science paraît moins ambitieuse que le mythe par les questions qu'elle pose et les réponses qu'elle cherche. De fait, le début de la science moderne date du moment où aux questions générales se sont substituées des questions limitées; où au lieu de se demander : « Comment l'univers a-t-il été créé? De quoi est faite la matière? Quelle est l'essence de la vie? », on a commencé à se demander : « Comment tombe une pierre? Comment l'eau coule-t-elle dans un tube? Quel est le cours du sang dans le corps? ». Ce changement a eu un résultat surprenant. Alors que les questions générales ne recevaient que des réponses limitées, les questions limitées se trouvèrent conduire à des réponses de plus en plus générales. Cela s'applique encore à la science d'aujourd'hui. Juger des problèmes devenus mûrs pour l'analyse, décider quand il est temps d'explorer à nouveau un vieux territoire, reprendre des questions naguère considérées comme résolues ou insolubles, tout cela constitue l'une des qualités majeures d'un scientifique. Pour une bonne part, c'est à la sûreté de jugement en ce domaine que correspond la créativité en science. Bien souvent, le jeune scientifique inexpérimenté, comme l'amateur, ne savent se contenter de questions restreintes. Ils veulent s'attaquer seulement à ce qu'ils considèrent comme des problèmes généraux.

Par la nature même de sa démarche, la méthode scientifique ne pouvait qu'entraîner un émiettement de la représentation du monde. Chaque branche de la science a son langage et ses techniques. Elle étudie un domaine particulier qui n'est pas nécessairement lié à ses voisins. La connaissance scientifique se trouve ainsi formée d'îlots séparés. Bien souvent, dans l'histoire des sciences, des progrès importants sont dus à des généralisations nouvelles qui permettent d'unifier ce qui, jusque-là, paraissait former des domaines séparés. C'est ainsi que la thermodynamique et la mécanique ont été unifiées par la mécanique statistique; de même l'optique et l'électromagnétisme avec la théorie des champs magnétiques de Maxwell; ou encore la chimie et la physique atomique avec la mécanique quantique. Cependant, malgré toutes ces généralisations, on trouve encore dans la connaissance scientifique de larges brèches qui risquent fort de persister longtemps.

Dans leur effort pour remplir leur fonction et trouver un ordre dans le chaos du monde, mythes et théories scientifiques opèrent selon le même principe. Il s'agit toujours d'expliquer le monde visible par des forces invisibles, d'articuler ce qu'on observe sur ce qu'on imagine. On peut considérer la foudre comme l'expression de la colère de Zeus ou comme un phénomène électrostatique. On peut voir dans une maladie l'effet d'un mauvais sort ou d'une infection microbienne. Mais, de toute façon, expliquer un phénomène c'est le considérer comme l'effet visible d'une cause cachée, liée à l'ensemble des forces invisibles qui sont censées régir le monde.

Mythique ou scientifique, la représentation du monde que construit l'homme fait toujours une large part à son imagination. Car contrairement à ce qu'on croit souvent, la démarche scientifique ne consiste pas simplement à observer, à accumuler des données expérimentales pour en déduire une théorie. On peut parfaitement examiner un objet pendant des années sans jamais en tirer la moindre observation d'intérêt scientifique. Pour apporter une observation de quelque valeur, il faut déjà, au départ, avoir une certaine idée de ce qu'il y a à observer. Il faut déjà avoir décidé ce qui est possible. Si la science évolue, c'est souvent parce qu'un aspect encore inconnu des choses se dévoile soudain; pas toujours comme conséquence de l'apparition d'un appareillage nouveau, mais grâce à une manière nouvelle d'examiner les objets, de les considérer sous un angle neuf. Ce regard est nécessairement guidé par une certaine idée de ce que peut bien être la « réalité ». Il implique toujours une certaine conception de l'inconnu, de cette zone située juste au-delà de ce que la logique et l'expérience autorisent à croire. Selon les termes de Peter Medawar[7], l'enquête scientifique commence toujours par l'invention d'un monde possible, ou d'un fragment de monde possible.

Ainsi commence aussi la pensée mythique. Mais cette dernière s'arrête là. Après avoir construit ce qu'elle considère non seulement comme le meilleur des mondes mais comme le seul possible, elle insère sans peine la réalité dans le cadre qu'elle a créé. Chaque fait, chaque événement est interprété comme un signe qui est émis par les forces régissant le monde et qui, par là même, prouve leur existence et leur importance. Pour la pensée scientifique, au contraire, l'imagination n'est qu'un élément du jeu. A chaque étape, il lui faut s'exposer à la critique et à l'expérience pour limiter la part du rêve dans l'image du monde qu'elle élabore. Pour la science, il y a beaucoup de mondes possibles, mais le seul intéressant est celui qui existe et qui, depuis longtemps déjà, a fait ses preuves. La démarche scientifique confronte sans relâche ce qui pourrait être et ce qui est. C'est le moyen de construire une représentation du monde toujours plus proche de ce que nous appelons « la réalité ».

L'une des principales fonctions des mythes a toujours été d'aider les êtres humains à supporter l'angoisse et l'absurdité de leur condition. Ils tentent de donner un sens à la vision déconcertante que l'homme tire de l'expérience, de lui rendre confiance en la vie malgré les vicissitudes, la souffrance et la misère. C'est donc une vue du monde étroitement liée à la vie quotidienne et aux émotions humaines que proposent les mythes. En outre, dans une culture donnée, un mythe qui est répété sous la même forme, avec les mêmes mots, de génération en génération, n'est pas simplement une histoire dont on peut tirer des conclusions sur le monde. Un mythe a un contenu moral. Il porte sa signification propre. Il sécrète ses valeurs. Dans un mythe, les êtres humains trouvent leur loi, au sens le plus élevé du mot, sans même avoir à l'y chercher. Même en l'y cherchant, ils ne peuvent trouver de loi ni dans la conservation de la masse et de l'énergie, ni dans la soupe primordiale de l'évolution. En fait, la démarche scientifique représente un effort pour libérer de toute émotion la recherche et la connaissance. Le scientifique tente de se soustraire lui-même du monde qu'il essaie de comprendre. Il cherche à se mettre en retrait, à se placer dans la position d'un spectateur qui ne ferait pas partie du monde à étudier. Par ce stratagème, le scientifique espère analyser ce qu'il considère être « le monde réel autour de lui ». Ce *prétendu* « monde objectif » devient ainsi dépourvu d'esprit et d'âme, de joie et de tristesse, de désir et d'espoir. Bref, ce monde scientifique ou « objectif » devient complètement dissocié du monde familier de notre expérience quotidienne. Cette attitude sous-tend tout le réseau de connaissance développé depuis la Renaissance par la science occidentale. C'est seulement avec la venue de la microphysique que la frontière entre observateur et observé s'est quelque peu estompée. Le monde objectif n'est plus aussi objectif qu'il y semblait naguère.

*

Il a sans cesse fallu lutter, dans les sciences de la nature, pour se débarrasser de l'anthropomorphisme, pour éviter d'attribuer des qualités humaines à des entités variées. En particulier, la finalité qui caractérise beaucoup d'activités humaines a longtemps servi de modèle universel pour expliquer tout ce qui, dans la nature, paraît orienté vers un but. C'est le cas notamment des êtres vivants dont toutes les structures, les propriétés, le comportement semblent à l'évidence répondre à un dessein. Le monde vivant a donc constitué la cible favorite des causes finales. De fait, la principale « preuve » de l'existence de Dieu a longtemps été « l'argument d'intention ». Développé notamment par Paley dans sa *Théologie naturelle*[8], publiée quelques années seulement avant l'*Origine des Espèces*, cet argument est le suivant. Si vous trouvez une montre, vous ne doutez pas qu'elle a été fabriquée par un horloger. De même, si vous considérez un organisme un peu complexe, avec l'évidente finalité de tous ses organes, comment ne pas conclure qu'il a été produit par la volonté d'un Créateur? Car il serait simplement absurde, dit Paley, de supposer que l'œil d'un mammifère, par exemple, avec la précision de son optique et sa géométrie, aurait pu se former par pur hasard.

Il y a deux niveaux d'explication, bien distincts mais trop souvent confondus, pour rendre compte de l'apparente finalité dans le monde vivant. Le premier correspond à l'individu, à l'organisme dont la plupart des propriétés, tant de structure que de fonctions ou de comportement, semblent bien dirigées vers un but. C'est le cas, par exemple, des différentes phases de la reproduction, du développement embryonnaire, de la respiration, de la digestion, de la recherche de nourriture, de la fuite devant le prédateur, de la migration, etc. Ce genre de dessein préétabli, qui se manifeste dans chaque être vivant, ne se retrouve pas dans le monde inanimé. D'où, pendant longtemps, le recours à un agent particulier, à une force vitale échappant aux lois de la physique. C'est seulement au cours de ce siècle qu'a disparu l'opposition entre, d'un côté, l'interprétation mécaniste donnée aux activités d'un être vivant et, de l'autre, ses propriétés et son comportement. En particulier, le paradoxe s'est résolu quand la biologie moléculaire a emprunté à la théorie de l'information le concept et le terme de programme pour désigner l'information génétique d'un organisme. Selon cette manière de voir, les chromosomes d'un œuf fécondé contiennent, inscrits dans l'ADN, les plans qui régissent le développement du futur organisme, ses activités, son comportement.

Le second niveau d'explication correspond, non plus à l'organisme individuel, mais à l'ensemble du monde vivant. C'est là qu'a été détruite par Darwin l'idée de création particulière, l'idée que chaque espèce a été individuellement conçue et exécutée par un créateur. Contre l'argument d'intention, Darwin montra que la combinaison de certains mécanismes simples peut simuler un dessein préétabli. Trois conditions doivent être remplies : il faut que les structures varient; que ces variations soient héréditaires; que la reproduction de certains variants soit favorisée par les conditions de milieu. A l'époque de Darwin, les mécanismes qui sous-tendent l'hérédité étaient encore inconnus. Depuis lors, la génétique classique, puis la biologie moléculaire ont donné des bases génétiques et biochimiques à la reproduction et à la variation. Peu à peu, les biologistes ont ainsi élaboré une représentation raisonnable, quoique encore incomplète, de ce qui est considéré comme le principal moteur de l'évolution du monde vivant : la sélection naturelle.

La sélection naturelle est la résultante de deux contraintes imposées à chaque être vivant : 1) l'exigence de reproduction, qui est satisfaite par des mécanismes génétiques mettant en œuvre tout un dispositif de mutations, recombinaisons et sexualité, soigneusement ajusté pour produire des organismes semblables, mais non identiques, à leurs parents; 2) l'exigence d'une interaction permanente avec le milieu, car les êtres vivants constituent ce que les thermodynamiciens appellent des systèmes ouverts : ils ne subsistent que grâce à un flux constant de matière, d'énergie et d'information. Le premier de ces facteurs produit des variations au hasard et donne naissance à des populations formées d'individus tous différents. La combinaison des deux facteurs entraîne une reproduction différentielle des individus et oblige ainsi les populations à évoluer progressivement en fonction des circonstances externes, du comportement, des niches écologiques nouvelles, etc. Contrairement à ce qu'on croit souvent, la sélection naturelle ne fonctionne pas seulement comme un tamis pour éliminer les mutations préjudiciables et favoriser la dissémination des mutations bénéfiques. A long terme, elle intègre les mutations; elle les agence en ensembles adaptativement cohérents, ajustés pendant des millions d'années et des millions de générations, en réponse au défi de l'environnement. C'est la sélection naturelle qui donne une direction au changement, qui oriente le hasard, qui lentement, progressivement, élabore des structures de plus en plus complexes, des organes nouveaux, des espèces nouvelles. La conception darwinienne a donc une conséquence inéluctable : le monde vivant aujourd'hui, tel que nous le voyons autour de nous, n'est qu'un parmi de nombreux possibles. Sa structure actuelle résulte de l'histoire de la terre. Il aurait très bien pu être différent. Il aurait même pu ne pas exister du tout!

*

L'opposition entre création et sélection naturelle peut servir d'exemple pour illustrer la controverse sur ce que Joshua Lederberg[9] a appelé mécanismes sélectifs et mécanismes instructifs ou didactiques. Tandis que le modèle de Darwin est sélectif, la théorie théiste peut être considérée comme didactique. Car le Créateur agit comme un sculpteur qui enseigne à la matière la forme à prendre; ou comme un informaticien qui écrit un programme et apprend à l'ordinateur les opérations à effectuer. Toutes les mythologies utilisent le modèle humain d'enseignement et de création. Toutes ont une attitude anthropomorphique et didactique. L'important, dans la solution de Darwin, ce fut d'expliquer par un mécanisme sélectif ce qui de prime abord semble relever d'un système instructif.

La controverse entre sélection et instruction s'est étendue à l'ensemble de la biologie. Son aspect le plus connu a trait à l'hérédité des caractères acquis, à l'idée que les êtres vivants reçoivent de leur milieu, de la répétition de certains actes, des informations qui deviennent héréditaires et sont alors transmises d'une génération à l'autre. Selon cette vue lamarckienne de l'hérédité, la mémoire génétique fonctionne, comme la mémoire nerveuse, par l'apprentissage. C'est le besoin de calquer les processus biologiques sur les processus mentaux des êtres humains qui entraîne l'attitude didactique. C'est de là que vient notre tendance irrésistible à croire en une théorie instructive ou lamarckienne de l'hérédité et de l'évolution. Déjà la Bible était lamarckienne, comme le montre une magnifique expérience due à Jacob. Pour ne pas confondre ses propres moutons avec ceux de son beau-père, Jacob décida de se constituer un troupeau de bêtes tachetées et mouchetées. Pour cela il prit des branches de peuplier, pela des bandes d'écorce et les plaça à l'endroit où les bêtes s'accouplaient en venant boire. « Elles s'accouplèrent donc devant les baguettes et mirent bas des petits tachetés et mouchetés. » A travers les siècles, les expériences de ce genre se sont répétées à l'infini, mais sans toujours réussir aussi brillamment.

Jusqu'au XIXe siècle, la nature didactique de l'hérédité n'était pas même mise en question. La première expérience anti-instruction fut faite, vers 1880, par August Weismann [10] qui voulait démontrer l'indépendance du soma et du germen. Pour prouver que les cellules germinales restent à l'abri des vicissitudes du corps, Weismann prenait des générations successives de souris et leur coupait la queue à la naissance. Après avoir répété ce traitement pendant plus de vingt générations, Weismann nota avec satisfaction que les souriceaux naissaient toujours avec une queue normale. Cependant, cette expérience ne parut guère convaincante. Et c'est seulement au début de ce siècle que l'hérédité des caractères acquis fut définitivement rejetée quand elle apparut incompatible avec les propriétés des gènes et des mutations. Depuis lors, chaque fois qu'une expérience a été préparée avec soin et exécutée avec rigueur dans le but d'évaluer l'hypothèse didactique, elle en a montré la fausseté. Pour la biologie moderne, aucun mécanisme moléculaire ne permet d'imprimer directement dans l'ADN, c'est-à-dire sans les détours de la sélection naturelle, des instructions venues du milieu. Non qu'un tel mécanisme soit théoriquement impossible. Simplement il n'existe pas.

L'hérédité des caractères acquis a ainsi disparu de ce que la biologie considère aujourd'hui comme le monde réel. Et pourtant cette idée s'est révélée particulièrement difficile à détruire, non seulement dans l'esprit des profanes, mais aussi dans celui de certains biologistes. Longtemps on a continué, et on continue encore, de faire des expériences pour la sauver. L'hérédité des caractères acquis est restée un domaine de prédilection pour ceux qui cherchent à imposer leurs désirs à la réalité. C'est ce qu'illustrent bien l'affaire Lysenko, ainsi qu'une série de falsifications dont la plus fameuse a été décrite en détail par Arthur Koestler dans son roman *L'Etreinte du Crapaud.* La règle du jeu en science, c'est de ne pas tricher. Ni avec les idées, ni avec les faits. C'est un engagement aussi bien logique que moral. Celui qui triche manque simplement son but. Il assure sa propre défaite. Il se suicide. En fait, les fraudes en science sont à la fois surprenantes et intéressantes. Surprenantes parce que, sur des questions importantes, il est enfantin de penser que la supercherie passera longtemps inaperçue; il faut donc que le tricheur croie dur comme fer non seulement à la possibilité, mais à la réalité du résultat qu'il entend démontrer par sa fraude. Intéressantes aussi parce que les fraudes vont du truquage délibéré des résultats à ce qui n'est que déviation légère, parfois même inconsciente, par rapport au comportement normal du scientifique. Elles touchent ainsi à des aspects psychologiques et idéologiques de la science et des scientifiques. Elles peuvent donc aider à comprendre certaines des idées préconçues qui, à une période donnée, font obstacle au développement scientifique. En ce sens, les fraudes font partie de l'histoire des sciences.

Les hypothèses didactiques ont également été invoquées pour expliquer les propriétés spécifiques de certaines protéines. Beaucoup de bactéries, par exemple, peuvent utiliser une large gamme de sucres. Mais bien souvent, elles ne produisent l'activité enzymatique requise pour métaboliser un sucre particulier que si elles sont cultivées dans un milieu contenant ce sucre. On a longtemps pensé que le sucre apportait de l'information à la bactérie; qu'il enseignait, pour ainsi dire, à la protéine la forme à prendre pour avoir cette activité enzymatique particulière. Mais lorsque les bactéries sont devenues accessibles à l'analyse génétique, cette hypothèse didactique s'est révélée fausse. Le sucre agit simplement comme un signal pour faire démarrer la synthèse de la protéine, c'est-à-dire mettre en route une série de processus réglés par les gènes jusque dans le détail. Il choisit dans le répertoire génétique et active le gène codant cette protéine. Mais la structure et l'activité de la protéine restent complètement indépendantes du sucre. Le mécanisme est entièrement sélectif.

La même histoire est arrivée dans l'étude des anticorps. Ces molécules de protéines sont produites par les vertébrés en réponse à l'injection d'un antigène, c'est-à-dire d'une structure moléculaire que le corps ne considère pas comme un constituant mais comme un étranger. Devant l'irruption d'un antigène, l'organisme réagit spécifiquement par la synthèse de l'anticorps correspondant. Un mammifère peut ainsi produire dix à cent millions de types différents d'anticorps, chacun capable de « reconnaître » une structure moléculaire particulière même s'il ne l'a jamais vue auparavant. A cause de ce nombre énorme et de l'impossibilité d'avoir dans les chromosomes un gène particulier pour coder chaque anticorps possible, le système immunitaire est longtemps resté l'une des terres d'élection pour les hypothèses didactiques. L'antigène était censé apprendre à la molécule d'anticorps la conformation à prendre pour se fixer à lui. Il est clair aujourd'hui que le système ne fonctionne pas ainsi, mais selon un mécanisme plus subtil. Aussi bizarre que puisse paraître un antigène, la réponse immune correspond toujours à l'activation d'une information génétique déjà présente dans les cellules lymphoïdes, et non pas à une sorte d'éducation que la cellule recevrait de la structure moléculaire de l'antigène. La production d'anticorps n'est pas un processus lamarckien mais darwinien. Elle met en jeu un mécanisme non pas didactique, mais sélectif.

Il reste encore un domaine où la controverse « instruction contre sélection » n'est pas encore réglée : le système nerveux. On ne sait encore que bien peu de chose sur la manière dont s'établissent les synapses, c'est-à-dire les connexions entre neurones, pendant le développement de l'embryon; ou sur le rôle, direct ou indirect, joué par les gènes dans le « câblage » du système nerveux; ou encore sur le processus d'apprentissage. Comme dans le système immunitaire, le nombre des synapses formées dans un système nerveux de mammifère est énorme. Il paraît impossible qu'existe, dans la lignée germinale, un gène particulier pour déterminer chaque synapse. Tout cela a donc conduit à envisager des mécanismes non génétiques et assez flexibles pour la mise en place des synapses. Le cerveau est, par définition, le terrain du didactique. Dans ce domaine, les théories sélectives sont généralement mal reçues à cause de l'argument sans réplique selon quoi « *Le Misanthrope* ne peut être précâblé dans la tête de l'enfant qui l'apprend ». Seulement, il ne s'agit pas ici de mots ou d'idées, mais de synapses. Depuis plusieurs décennies déjà, on a suggéré qu'un excès de synapses pourrait être établi pendant le développement de l'embryon. L'apprentissage correspondrait alors à la sélection de certaines synapses et à leur combinaison en circuits fonctionnels, tandis que disparaîtraient les synapses non utilisées. Selon toute vraisemblance, il faudra encore du temps avant que ne se précise la nature didactique ou sélective du processus d'apprentissage.

*

A l'origine, la théorie de l'évolution était basée sur des données morphologiques, embryologiques et paléontologiques. Pendant ce siècle, elle a été renforcée par une série de résultats obtenus par la génétique, la biochimie et la biologie moléculaire. Toute l'information issue de ces divers domaines est maintenant combinée en ce qu'on appelle souvent le darwinisme moderne. Les traces de l'évolution se retrouvent aujourd'hui dans chacune de nos cellules, dans chacune de nos molécules. Il est devenu virtuellement impossible à présent d'expliquer l'énorme quantité de données accumulées depuis le début du siècle sans une théorie très voisine du darwinisme moderne.

La probabilité pour que cette théorie *dans son ensemble* soit un jour réfutée est maintenant voisine de zéro.

Et pourtant nous sommes loin d'en avoir la version finale, notamment sur les mécanismes de l'évolution. La génétique considère les organismes à deux niveaux distincts. L'un concerne les caractères visibles, les formes, les fonctions, le comportement, bref ce qu'on appelle les *phénotypes*. L'autre s'intéresse à des structures cachées, à l'état des gènes, à ce qu'on appelle les *génotypes*. Ce sont là deux mondes fort différents. Pour le premier, il s'agit de décrire les organismes réels; pour le second, d'expliquer leurs propriétés en termes de structures génétiques possibles. Et quoique les gènes gouvernent les caractères, le lien entre ces deux mondes n'a encore été véritablement précisé que pour quelques traits simples. C'est seulement dans certains systèmes comme les groupes sanguins ou les défauts enzymatiques, qu'une corrélation a pu être établie entre un gène donné et son produit, entre génotype et phénotype. Dans la plupart des cas, la situation est beaucoup plus complexe. Un même gène intervient souvent dans l'expression de nombreux caractères et un même caractère peut être régi par de nombreux gènes que nous ne savons pas identifier. En outre, nous sommes encore loin de connaître tous les mécanismes qui sous-tendent l'évolution, comme le montrent, par exemple, certaines observations récentes concernant la structure des chromosomes. Pratiquement tous les biologistes admettent aujourd'hui le darwinisme moderne. Mais on peut penser l'évolution en termes d'organismes, ou de molécules, ou d'abstractions statistiques. Il y a encore bien des manières de considérer l'évolution, son rythme et son mécanisme.

Ce que Darwin a opposé à l'argument d'intention, c'est l'adaptation. Ce concept est au cœur même de toute la représentation du monde vivant fondée sur l'évolution. Il est indissolublement lié aux théories de l'origine du vivant. C'est à partir de la « soupe primordiale », produit d'une évolution chimique, que la vie est censée avoir pris naissance. Quelque complexe moléculaire a dû devenir capable d'utiliser certains des ingrédients de cette solution organique pour se reproduire. Mais cette reproduction ne pouvait guère être fidèle. Elle laissait toute possibilité de variation. Dès lors, la sélection naturelle pouvait opérer. Ces organismes primitifs accrurent progressivement l'efficacité de leur reproduction et commencèrent à se diversifier. Une branche, que nous appelons les végétaux, réussit à se nourrir directement de la lumière solaire. Une autre branche, que nous appelons les animaux, parvint à utiliser les propriétés biochimiques des végétaux, soit en les mangeant, soit en mangeant d'autres animaux qui mangent les végétaux. Les deux branches trouvèrent alors des modes de vie sans cesse nouveaux pour répondre à des milieux sans cesse diversifiés. Des sous-branches apparurent, puis des sous-sous-branches, chacune capable de vivre dans un environnement particulier : dans la mer, sur la terre, en l'air, dans les régions polaires, dans les sources chaudes, à l'intérieur d'autres organismes, etc. C'est de cette ramification progressive pendant des milliards d'années que sont nées la diversité et l'adaptation qui nous déconcertent dans le monde vivant aujourd'hui.

Le mécanisme tiré par Darwin de la lecture de

Malthus donne l'avantage aux individus qui, grâce à leur physiologie ou à leur comportement, font, pour se reproduire, le meilleur usage des ressources disponibles. Il unit le système génétique et le milieu de façon telle que celui-ci modifie celui-là par un processus qui, en fin de compte, simule le lamarckisme. L'adaptation est le résultat d'une compétition entre *individus*, soit au sein de l'espèce, soit entre espèces. Elle représente un dispositif automatique pour saisir les occasions génétiques et diriger le hasard vers les voies compatibles avec la vie dans un milieu donné. Pour de nombreux biologistes, chaque organisme, chaque cellule, chaque molécule a été affiné dans le moindre détail par un processus d'adaptation qui s'est poursuivi sans relâche pendant des millions d'années et des millions de générations.

Cette foi en la sélection naturelle et en son pouvoir absolu a dominé la pensée évolutionniste des cinquante dernières années. Elle a été récemment critiquée par plusieurs généticiens de population. Ceux-ci refusent d'admettre que chaque organisme puisse être, dans le moindre détail, modelé au mieux par la sélection naturelle. Comme l'a souligné George C. Williams[11] il y a quinze ans, l'adaptation est un concept onéreux à n'utiliser que si nécessaire. A user de ce concept sans discrimination, on en vient à voir dans le monde vivant la même perfection que celle attribuée jadis aux effets de la création divine. A force de disséquer les organismes en caractères discrets, en structures dont chacune remplit au mieux une fonction, on finit par reconstruire ce que S. Gould et R. Lewontin[12] ont appelé un « univers à la Pangloss ». En apprenant qu'un grand tremblement de terre avait tué quelque cinquante mille personnes à Lisbonne, le docteur Pangloss expliqua à son élève Candide : « Tout ceci est ce qu'il y a de mieux. Car, s'il y a un volcan à Lisbonne, il ne pouvait être ailleurs. Car il est impossible que les choses ne soient pas où elles sont. Car tout est bien[13]. »

En fait, l'adaptation n'est pas une composante nécessaire de l'évolution. Pour qu'une population évolue, il suffit que le fonds génétique commun à cette population varie, soit brusquement, soit progressivement au fil des générations. Une telle variation statistique dans la survie relative des différents gènes n'implique pas nécessairement une adaptation. Elle peut simplement refléter les effets du hasard sur une étape quelconque de la reproduction. De toute évidence, le seul hasard n'explique pas pourquoi les animaux terrestres ont des pattes, les oiseaux des ailes et les poissons des nageoires. Mais à côté de la sélection naturelle, on connaît aujourd'hui toute une série de mécanismes intervenant dans l'évolution : par exemple, la dérive génétique, la fixation de gènes au hasard, la sélection indirecte qu'entraîne une liaison de gènes, la croissance différentielle des organes, etc. Beaucoup de ces facteurs concourent à brouiller les effets de la sélection naturelle. Ils peuvent même engendrer des structures qui ne servent à rien. Le problème est de préciser le poids relatif de ces processus dans l'évolution.

Toute une série de contraintes limitent les possibilités de changement de structures et de fonctions. Particulièrement importantes sont les contraintes imposées par le plan général du corps qui sous-tend les espèces voisines, par les propriétés mécaniques des matériaux composant le vivant, et surtout par les règles régissant le développement de l'embryon. Car c'est au cours du développement de l'embryon que sont mises en œuvre les instructions contenues dans le programme génétique de l'organisme, que le génotype est converti en phénotype. Ce sont avant tout les exigences du développement qui trient le fatras des génotypes possibles pour en tirer les phénotypes réels. Quand j'étais enfant, je me suis souvent demandé pourquoi les êtres humains n'ont pas deux bouches : l'une douée de goût et réservée à ce qui est agréable à manger, l'autre sans goût pour ce qui est mauvais; ou encore pourquoi les humains n'ont pas sur la tête un chapeau de chlorophylle au lieu d'une chevelure, de manière à ne pas gaspiller tant d'efforts et de temps à la recherche de nourriture. En fait, la réponse est assez simple. De tels attributs rendraient peut-être la vie plus agréable ou plus facile. Mais le plan d'organisation de notre corps est le même que celui de nos ancêtres vertébrés; et nos ancêtres vertébrés n'avaient qu'une bouche et pas de chlorophylle. En matière d'organismes, tout n'est pas possible.

*

Il devrait être bien clair aujourd'hui qu'on n'expliquera pas l'univers dans tous ses détails par une seule formule ou par une seule théorie. Et pourtant le cerveau humain a un tel besoin d'unité et de cohérence que toute théorie de quelque importance risque d'être utilisée de manière abusive et de déraper vers le mythe. Pour couvrir un large domaine, une théorie doit posséder à la fois assez de puissance pour expliquer des événements divers et assez de souplesse pour s'appliquer à des circonstances variées. Mais un excès de souplesse peut changer la puissance en faiblesse. Car une théorie qui explique trop finit par n'expliquer rien. A être utilisée sans discrimination, elle perd toute utilité et devient un discours vide. Les fanatiques et les vulgarisateurs, en particulier, ne savent pas toujours repérer cette frontière subtile qui sépare une théorie heuristique d'une croyance stérile; une croyance qui au lieu de décrire le monde réel peut s'appliquer à tous les mondes possibles.

Ce sont des abus de ce genre qui ont déformé les monuments intellectuels échafaudés notamment par Marx et Freud. Ce dernier parvint à se convaincre lui-même, ainsi qu'une fraction appréciable du monde occidental, du rôle que jouent des forces inconscientes dans les affaires humaines. Après quoi Freud, et plus encore ses disciples, s'efforcèrent désespérément de rationaliser l'irrationnel, de l'enfermer dans un infranchissable réseau de causes et d'effets. Grâce à un surprenant arsenal comprenant complexes, interprétations des rêves, transferts, sublimations, etc., il devint possible d'expliquer n'importe quel aspect visible du comportement humain par quelque lésion cachée de la vie psychique. Quant à Marx, il montra l'importance de ce qu'il a appelé le « matérialisme historique » dans l'évolution des sociétés humaines. Là encore, les disciples de Marx éprouvèrent le besoin de rendre compte, par le même argument universel, du bruit et de la fureur de l'histoire dans ses moindres aspects. Chaque détail de l'histoire humaine devient ainsi l'effet direct de quelque cause économique.

Une théorie aussi puissante que celle de Darwin ne pouvait guère échapper à un usage abusif. Non seulement l'idée d'adaptation permettait d'expliquer n'importe quel détail de structure trouvé à n'importe quel organisme; mais devant le succès rencontré par l'idée de sélection naturelle pour rendre compte de l'évolution du monde vivant, il devenait tentant de généraliser l'argument, de le retailler, d'en faire le modèle universel pour expliquer tout changement survenant dans le monde. C'est ainsi qu'on a invoqué des systèmes de sélection semblables pour décrire n'importe quel type d'évolution : cosmique, chimique, culturelle, idéologique, sociale, etc. Mais de telles tentatives sont condamnées au départ. La sélection naturelle représente le résultat de contraintes spécifiques imposées à chaque être vivant. C'est donc un mécanisme ajusté à un niveau particulier de complexité. A chaque niveau, les règles du jeu sont différentes. A chaque niveau, il faut donc trouver de nouveaux principes.

Parmi les théories scientifiques, la théorie de l'évolution possède un statut particulier; non seulement parce que, dans certains aspects, elle reste difficile à étudier expérimentalement et donne encore lieu à des interprétations diverses; mais aussi parce qu'elle rend compte de l'origine du monde vivant, de son histoire, de son état présent. En ce sens, la théorie de l'évolution est souvent traitée comme un mythe, c'est-à-dire comme une histoire qui raconte les origines et par là-même explique le monde vivant et la place qu'y tient l'homme. Comme on l'a déjà vu, cette exigence de mythes, y compris de mythes cosmologiques, semble bien être un trait commun à toute culture, à toute société. Il se pourrait que les mythes contribuent à la cohésion d'un groupe humain en liant ses membres par une croyance en une origine et une ascendance communes. C'est vraisemblablement cette croyance qui permet au groupe de se distinguer des « autres » et de définir sa propre identité. Quoique l'évolution humaine soit souvent racontée de manière à opposer populations « civilisées » et « primitives », l'unité de l'humanité en tant qu'espèce empêche la théorie de l'évolution de jouer un tel rôle – sauf peut-être si les humains voulaient un jour se différencier des Martiens ! En outre, un mythe contient une sorte d'explication universelle qui donne à la vie humaine un sens et des valeurs morales. Rien n'indique que la théorie de l'évolution puisse jouer un tel rôle malgré de nombreuses tentatives.

Dans un univers créé par Dieu, le monde et ses habitants étaient nécessairement comme ils devaient être. La nature était pour ainsi dire plaquée sur la morale. Avec la théorie de l'évolution, il devint tentant de retourner la situation et de déduire une morale de la connaissance de la nature. Dès sa naissance, le darwinisme s'est ainsi trouvé mêlé à l'idéologie. Dès le début, l'évolution par sélection naturelle fut utilisée, à l'appui de doctrines variées, voire opposées. Comme les processus naturels sont dépourvus de toute valeur morale, on pouvait tout aussi bien la peindre en blanc ou en noir et en proclamer l'accord avec n'importe quelle thèse. Pour Marx et Engels, l'évolution des espèces marchait dans le même sens que l'histoire des sociétés. Pour les idéologies capitalistes et colonialistes, le darwinisme servait d'alibi scientifique pour justifier les inégalités sociales et les formes variées du racisme. Depuis le milieu du XIXe siècle, on a vu se répéter les efforts – et la sociobiologie en représente le plus récent – pour fonder une morale sur des considérations éthologico-évolutionnistes. En fait, la capacité d'adopter un code moral peut être considérée comme un aspect du comportement humain. Elle doit donc avoir été modelée par des forces de sélection tout comme, par exemple, la capacité de parler, ce que Noam Chomsky appelle une « structure profonde[14] ». En ce sens, il revient aux biologistes d'expliquer comment les êtres humains ont, au cours de l'évolution, acquis leur *capacité* à avoir des croyances morales. Mais cela ne s'applique en rien au *contenu* de ces croyances. Ce n'est pas parce qu'une chose est « naturelle » qu'elle est « bonne ». Même s'il existait des différences de tempérament et de capacité cognitive entre les deux sexes – ce qui reste à préciser – il n'en serait pas pour autant « bien » ou « juste » de refuser aux femmes certains droits et certains rôles dans la société. Il n'y a pas plus de raison de chercher dans l'évolution une explication des codes moraux qu'une explication de la poésie ou de la mathématique. Et personne n'a jamais suggéré une théorie biologique de la physique.

En fait, vouloir fondre l'éthique dans les sciences de la nature, c'est confondre ce que Kant considérait comme deux catégories bien distinctes. Cette « biologisation », si l'on peut dire, relève idéologiquement du scientisme, de la croyance que les méthodes et concepts de cette science pourront un jour rendre compte des activités humaines dans leurs moindres aspects. C'est une telle croyance qui transparaît derrière la terminologie quelque peu équivoque utilisée par beaucoup de sociobiologistes, derrière certaines de leurs suppositions que rien ne justifie, ou derrière leurs extrapolations de l'animal à l'homme. La même confusion entre science et éthique se retrouve par ailleurs dans l'attitude opposée qui conduit des scientifiques à rejeter certains aspects bien fondés de la sociobiologie, sous le prétexte que de tels arguments pourraient un jour être utilisés à l'appui d'une politique sociale qu'ils réprouvent. Comme si la théorie de l'évolution n'était pas simplement une hypothèse qu'il faut sans cesse mettre à l'épreuve et ajuster. Comme si elle symbolisait toute une série de préjugés, de craintes et d'espoirs concernant notre société.

Toutes ces polémiques soulèvent de sérieuses questions; et notamment : est-il possible pour les biologistes d'élaborer une théorie de l'évolution qui soit vraiment libre de préjugé idéologique ? est-il possible pour une histoire des origines de fonctionner à la fois comme théorie scientifique et comme mythe ? est-il possible pour une société de définir un jeu de valeurs directement, c'est-à-dire sans en référer à quelque puissance externe telle que Dieu ou l'Histoire, que l'homme a créés pour les imposer à sa propre existence ?

II

LE BRICOLAGE DE L'ÉVOLUTION

« Le sang... est encore la meilleure chose possible à avoir dans ses veines. »

WOODY ALLEN,
Getting Even.

1543, c'est l'année même où, avec la publication du livre de Copernic, le soleil cesse de tourner autour de la terre. C'est aussi l'année où paraît un autre ouvrage, le *de Humani Corporis Fabrica* de Vésale, d'un genre entièrement nouveau. Nouveau, non par le sujet : la description du corps humain; mais par la facture. Pour la première fois, le corps n'y est plus raconté au long d'un discours répété de génération en génération. Il y est représenté dans une série de planches où l'art du peintre s'allie au savoir du médecin pour détailler ce que le scalpel révèle progressivement à la vue. Ce qu'on trouve dans ce livre, ce n'est plus simplement l'étude de quelque région anatomique comme chez Dürer, Michel-Ange et surtout Léonard de Vinci. C'est l'architecture du corps humain tout entier lié à la vie de tous les jours. Rien jusque-là n'a atteint la noblesse et la précision de ces planches. Celle de ce squelette, par exemple, debout de profil, un peu voûté, qui s'accoude négligemment à une sorte de grande table placée à la droite du dessin. Il se dresse sur un fond de paysage miniature, ce mélange de palais, de ruines, de collines piquées d'arbres nains, par quoi la Renaissance jalonnait ses perspectives. Ce qui donne à chacun des os sa netteté et son relief, c'est une lumière assez douce venue d'en haut à droite, de sorte que l'ombre s'accuse sur l'arrière du crâne et des vertèbres. La posture du squelette est un peu molle, comme si l'artiste avait voulu donner une impression de nonchalance et de recueillement. Nonchalance à cause de l'attitude légèrement déhanchée : le squelette pèse de tout son poids sur la seule jambe droite qui reste allongée tandis que le genou gauche fléchit juste assez pour permettre aux tibias de se croiser, le pied gauche ne reposant que sur la pointe. Impression de recueillement aussi, car le bras gauche accoudé à la table est replié à angle aigu, de sorte que la tête prend appui sur le dos de la main dans l'attitude du penseur. Mais ce qui retient l'attention et donne à la gravure son intensité, c'est la face tournée vers un autre crâne que la main droite maintient sur la table. De toutes ses orbites, le squelette paraît scruter cette autre face. Comme si l'homme voulait s'étudier lui-même.

Certes, jusque-là, l'art de la Renaissance ne s'était guère montré avare de squelettes. Mais si les figures de Vésale arborent le même rictus que celles de Holbein ou de Dürer, si elles exhibent le même sourire décharné, elles ne remplissent pas la même fonction. Sur les bas-reliefs ou les tableaux, les squelettes des danses macabres symbolisaient la fragilité de l'existence. Ils rappelaient à chacun l'égalité devant la mort. Ils annonçaient le jugement qui sépare cette vie de l'autre. Avec les gravures de Vésale, il s'agit de tout autre chose. Ce que révèle la série des squelettes, de face, de dos ou de profil, c'est la charpente qui soutient l'édifice du corps humain. C'est la structure où vient prendre appui l'insertion des muscles, où s'exercent les forces qui coordonnent le mouvement et permettent le travail. Malgré l'absence de regard, les squelettes de Vésale expriment non la peur de la mort, mais l'activité de la vie.

C'est une autre histoire que raconte la série des écorchés de Vésale. Là encore, c'est l'ensemble du corps humain qui est présenté de face ou de dos sur fond de paysage. Là encore, c'est dans des attitudes familières que s'offrent ces figures au visage tourmenté, d'où émanent énergie et dignité. D'abord simplement dépouillés de leur peau, ces corps d'hommes et de femmes exhibent le réseau des vaisseaux superficiels. Puis, dans les planches suivantes, les couches de muscles sont retirées une à une. Sectionné à son attache supérieure, chaque muscle est rabattu, laissant émerger ce qu'il cachait. Le corps perd ainsi progressivement son opacité. A travers chaque incision se dévoile quelque forme nouvelle; au fond de chaque trouée, quelque symétrie de ligne et de surface. En quelques figures, le caché affleure à la surface et peu à peu c'est tout l'espace du corps qui vient s'offrir au regard. Mais à mesure que ce corps se trouve comme dégarni de son épaisseur, à mesure que lui sont retirées une à une ses assises de muscles, il perd progressivement en allant et en dignité. On le voit s'affaisser lentement, s'effondrer un peu plus à chaque page. Peu à peu, il devient une sorte de mannequin adossé à un mur. Et enfin, ce n'est plus qu'une carcasse vide que retient seule la corde d'une potence. Cette histoire que racontent ainsi les écorchés de Vésale nous est aujourd'hui familière. Mais, à l'époque, elle était nouvelle. Elle nous rappelle que si l'homme occidental est parvenu à se constituer pour lui-même en objet de science, c'est à travers son propre cadavre. Pour connaître son corps, il faut d'abord le détruire.

Aux yeux du XVIe siècle, la forme du corps humain est unique. Elle ne ressemble à rien d'autre. Disséquer des cadavres, en explorer jusqu'au moindre recoin, les représenter plan par plan, c'est d'abord souligner la singularité de l'homme et préciser en quoi il se distingue des animaux. C'est aussi rendre grâce à Dieu. Car le corps de l'homme c'est, pour Fernel[15], « la forme suprême et la plus parfaite de toutes les formes sublunaires ». L'anatomie, pour Ambroise Paré[16], conduit donc directement à « la connaissance du Créateur comme l'effet à la connaissance de sa cause ». Les objets de l'anatomie, ces structures que le scalpel rend progressivement accessibles au regard, sont ainsi étudiés pour eux-mêmes. Leur intérêt, c'est leur forme propre qui contribue à donner au corps humain sa cohérence et sa vie. L'anatomie est donc autant le fait des peintres et des sculpteurs que des médecins. Car la maladie n'entretient pas alors avec le corps les relations directes qu'on lui trouve aujourd'hui. Elle n'a pas le même support organique. Elle ne relève pas des mêmes causes. Désordre du corps, elle témoigne d'un déséquilibre dans les forces qui donnent vie à ce corps. Déséquilibre entre les éléments ou les humeurs; ou dans les relations établies entre l'âme et le corps; ou même dans le jeu des influences secrètes qui, de tout l'univers, convergent sur l'homme et s'articulent en lui. Un mal de ventre traduit non une lésion de l'abdomen, mais un excès d'humeur, ou l'influence d'un astre, ou une expiation, une vengeance, une punition divine.

A la fin de la Renaissance, l'anatomie reste ainsi une science fermée, sans rapport avec les autres formes de savoir. C'est seulement plus tard, aux XVIIe et XVIIIe siècles, que la connaissance des êtres vivants et de leurs constituants se fondera sur leurs relations : relations entre structures et fonctions avec la physiologie de Harvey; relations entre structures et maladies avec l'anatomie pathologique de Morgagni; relations entre structures appartenant à différents organismes avec l'anatomie comparée. C'est sur une telle comparaison des formes et des structures, sur l'idée que leur distribution dans l'espace reflète une variation dans le temps, que deviendra possible une théorie de l'évolution.

*

Si la naissance de l'anatomie offre un grand intérêt, ce n'est pas seulement à cause de l'époque qui est fascinante. C'est aussi que la biologie moderne se trouve dans une situation assez semblable. Depuis quelque trente ans, on considère que les propriétés des êtres vivants sont dues aux caractéristiques et aux interactions des molécules qui les composent. Depuis lors, les biologistes font la chasse aux molécules. Il n'est pas exagéré de dire que presque chaque jour, de nouvelles molécules sont isolées à partir de tel ou tel organisme. Pour étudier quelque phénomène nouveau, un jeune chercheur doué s'efforcera de repérer les protéines en jeu, de les purifier, d'en déterminer la séquence d'acides aminés. S'il est véritablement très doué, il réussira à attraper leurs gènes de structure et à préciser la séquence de leurs nucléotides. Mais, si doué soit-il, il faudrait bien quelques décennies, voire quelques siècles, à ce jeune chercheur – et au vieux tout autant – pour avoir la moindre chance de comprendre comment cette molécule se trouve être parvenue dans cet organisme pour y remplir ce qui semble être sa fonction.

Tout cela ressemble fort à de l'anatomie moléculaire. Pour justifier les structures révélées par le scalpel, les anatomistes du XVIe siècle devaient invoquer la volonté de Dieu. Pour justifier les structures révélées par leurs colonnes de chromatographie, les biologistes moléculaires du XXe siècle invoquent la sélection naturelle, c'est-à-dire une mixture de hasard et de compétition dans la reproduction. En conséquence, l'Histoire est promue au rang de cause majeure.

Dans notre univers, la matière est agencée selon une hiérarchie de structures par une série d'intégrations successives. Qu'ils soient inanimés ou vivants, les objets trouvés sur la terre forment toujours des organisations, des systèmes. A chaque niveau, ces systèmes utilisent comme ingrédients certains des systèmes du niveau inférieur, mais certains seulement. Les molécules, par exemple, sont faites d'atomes, mais les molécules trouvées dans la nature ou produites au laboratoire ne représentent qu'une petite fraction de toutes les interactions possibles entre atomes. En même temps, les molécules peuvent présenter certaines propriétés, telles l'isomérisation ou la racémisation, qui n'existent pas chez les atomes. Au niveau supérieur, les cellules sont faites de molécules. Là encore, l'ensemble des molécules existant chez les êtres vivants ne représente qu'un choix très restreint parmi les objets de la chimie. En outre, les cellules sont capables de se diviser, mais non les molécules. Au niveau suivant, le nombre des espèces animales vivantes s'élève à quelques millions, ce qui est peu en regard de ce qui pourrait être. Tous les vertébrés sont composés de quelques types cellulaires – nerveux, glandulaires, musculaires, etc. – en nombre limité, deux cents peut-être. Ce qui donne aux vertébrés leur grande diversité, c'est le nombre total des cellules ainsi que la répartition et les proportions relatives de ces types cellulaires.

La hiérarchie dans la complexité des objets a donc deux caractéristiques : d'une part, les objets qui existent à un niveau donné ne forment jamais qu'un échantillon limité de tous les possibles offerts par la combinatoire du niveau plus simple. D'autre part, à chaque niveau peuvent apparaître de nouvelles propriétés qui imposent de nouvelles contraintes aux systèmes. Mais ce n'est jamais qu'un surcroît de contraintes. Celles qui existent à un niveau donné s'appliquent aussi aux niveaux plus complexes. Toutefois, le plus souvent, les propositions qui ont le plus d'importance à un niveau n'en ont aucune aux niveaux plus complexes. La loi des gaz parfaits n'est pas moins vraie pour les objets de la biologie que pour ceux de la physique. Seulement elle n'a aucun intérêt pour les questions qui préoccupent les biologistes.

Vivants ou non, les objets complexes sont les produits de processus évolutifs dans lesquels interviennent deux facteurs : d'une part, les contraintes qui, à chaque niveau, déterminent les règles du jeu et marquent les limites du possible; d'autre part, les circonstances qui régissent le cours véritable des événements et réalisent les interactions des systèmes. La combinaison de contraintes et d'histoire se retrouve à chaque niveau mais en proportions différentes. Les objets les plus simples sont soumis aux contraintes plus qu'à l'histoire. Avec l'accroissement de complexité grandit l'influence de l'histoire. Mais il faut toujours faire une part à l'histoire, même en physique. Car l'univers lui-même et les éléments qui le composent ont une histoire. Selon les théories en vigueur, les noyaux lourds sont constitués de noyaux légers et, en fin de compte, de noyaux d'hydrogène et de neutrons. La transformation d'hydrogène lourd en hélium s'accomplit au cours des processus de fusion, source principale d'énergie dans le soleil comme dans les bombes à hydrogène. L'hélium et tous les éléments lourds sont ainsi le résultat d'une évolution cosmique. D'après les idées actuelles, les éléments lourds représentent les produits d'explosion des supernovæ. Ils semblent très rares. La terre et les autres planètes du système solaire ont ainsi été formées de matériaux rares dans des conditions qui semblent ne se rencontrer que rarement dans le cosmos.

Bien évidemment, l'histoire prend beaucoup plus d'importance en biologie. Et comme seules les contraintes, mais non l'histoire, peuvent être formalisées, la biologie a un statut scientifique différent de celui de la physique. L'explication en biologie a un double caractère. Dans l'étude de n'importe quel système biologique, à n'importe quel niveau de complexité, on peut poser deux types de questions : quel en est le fonctionnement? et : quelle en est l'origine? C'est surtout à la première question, à l'étude des interactions actuelles, que s'est consacrée la biologie expérimentale depuis un siècle. Cette biologie est très orientée vers l'étude des mécanismes. Elle a fourni un certain nombre de réponses en termes physiologiques, biochimiques ou moléculaires. Mais c'est la seconde question, celle de l'évolution, qui est probablement la plus profonde, car elle englobe la première. Bien souvent, cependant, les réponses ne peuvent procéder que de suppositions plus ou moins raisonnables. La théorie moderne de l'évolution a fondé les règles de son jeu historique sur deux contraintes pesant sur les êtres vivants : la reproduction et la thermodynamique. Cependant, dans la compréhension de certains aspects structuraux et fonctionnels des êtres vivants, ce ne sont pas seulement les règles, mais éventuellement les détails du processus historique qui peuvent avoir de l'importance. Car chaque organisme vivant aujourd'hui représente le dernier maillon d'une chaîne ininterrompue sur quelque trois milliards d'années. Les êtres vivants sont en fait des structures historiques. Ce sont littéralement des créations de l'histoire.

De même que l'anatomie comparée s'est efforcée de définir les relations de structure et de fonction entre espèces, de même l'anatomie moléculaire comparée cherche à esquisser les chemins suivis par l'évolution, notamment ceux qui n'ont pas été jalonnés par des fossiles. On en trouve un exemple dans l'analyse d'une protéine telle que le cytochrome c, qui a apporté des renseignements sur l'un des aspects les plus fascinants du développement de la vie sur la terre : la manière dont les organismes sont parvenus à obtenir de l'énergie, à l'emmagasiner, à l'utiliser[17]. Le cytochrome c fonctionne comme une navette à électrons dans les chaînes de transfert d'électrons opérant dans la photosynthèse ou la respiration. La séquence d'acides aminés et même, dans certains cas, la structure en trois dimensions du cytochrome c ont été obtenues pour de nombreuses espèces. Parmi celles-ci, des microorganismes variés – bactéries aérobies qui peuvent utiliser soit l'oxygène, soit les nitrates pour les oxydations; bactéries photosynthétiques vertes ou rouges; algues bleu-vert – ou des organismes supérieurs, animaux possédant des mitochondries ou végétaux possédant des mitochondries et des chloroplastes. Chez beaucoup de ces organismes, les ressemblances entre cytochrome c sont frappantes. Quelles que soient leur origine ou leur fonction métabolique, tous ces cytochromes paraissent appartenir à une même famille de molécules protéiques issues d'une origine commune.

Ce genre d'analyse apporte deux sortes de renseignements. D'un côté, en combinant les données sur le cytochrome c et celles concernant d'autres protéines, il devient possible d'esquisser un arbre phylogénique qui résume les relations entre respiration et photosynthèse chez les bactéries. On peut ainsi se représenter les principales étapes dans l'évolution du métabolisme énergétique, comme par exemple : le passage de bactéries photosynthétiques réduisant le soufre aux algues bleu-vert, possédant le cycle familier de la réduction de l'oxyde de carbone; le remplacement progressif de réducteurs forts, tel l'hydrogène sulfuré, par l'eau; la formation d'une atmosphère oxydante; l'apparition de la respiration, etc.

D'un autre côté, l'évolution du cytochrome c montre le jeu des contraintes et de l'histoire au niveau moléculaire. Dans une molécule comme le cytochrome c, les contraintes physiques et chimiques sont particulièrement fortes, à cause des exigences de l'hème et des électrons qui doivent pouvoir migrer librement sur un bord de la molécule. A un stade précoce de l'évolution, la structure de base s'est révélée fonctionner efficacement dans le transport des électrons. Depuis lors, elle s'est maintenue sans grands changements des procaryotes photosynthétiques aux cellules d'eucaryotes, protistes, champignons, végétaux et animaux. Pour beaucoup d'autres protéines, les exigences sont moins contraignantes. Elles permettent à l'histoire d'introduire suffisamment de variations pour rendre les structures très différentes dans des espèces variées. Mais le cytochrome c ne laisse guère de place à la diversification historique. Seuls sont permis quelques changements d'acides aminés à certaines positions. Quoique les différentes molécules soient toutes repliées de la même façon et présentent la même conformation, leur longueur varie de 82 à 134 acides aminés. Les principales différences sont dues à l'addition, ou à la délétion, de boucles à la surface de la molécule. Tout cela ne nous renseigne guère sur les événements historiques qui ont modifié la molécule au cours de l'évolution. Cela nous renseigne, en revanche, sur la manière dont procède l'évolution pour créer de nouveaux types moléculaires.

*

On a souvent comparé l'action de la sélection naturelle à celle d'un ingénieur. Mais la comparaison ne semble guère heureuse. D'abord parce que, contrairement à l'évolution, l'ingénieur travaille sur plan, selon un projet longuement mûri. Ensuite parce que, pour fabriquer une structure nouvelle, l'ingénieur ne procède pas nécessairement à partir d'objets anciens. L'ampoule électrique ne dérive pas de la chandelle, ni le réacteur du moteur à explosion. Pour produire un nouvel objet, l'ingénieur dispose à la fois de matériaux spécialement affectés à cette tâche et de machines uniquement conçues dans ce but. Enfin, parce que les objets produits par l'ingénieur, du moins par le bon ingénieur, atteignent le niveau de perfection qu'autorise la technologie de son époque. L'évolution, au contraire, reste loin de la perfection, comme l'a constamment répété Darwin qui avait à combattre l'argument de la création parfaite. Tout au long de l'*Origine des Espèces,* Darwin insiste sur les imperfections de structure et de fonction du monde vivant. Il ne cesse de souligner les bizarreries, les solutions étranges qu'un Dieu raisonnable n'aurait jamais utilisées. Et l'un des meilleurs arguments contre la perfection vient de l'extinction des espèces. On peut estimer à plusieurs millions le nombre des espèces animales vivant actuellement. Mais le nombre des espèces qui ont disparu après avoir peuplé la terre à une époque ou une autre doit, d'après un calcul de G.G. Simpson[18], s'élever à quelque cinq cents millions au moins.

L'évolution ne tire pas ses nouveautés du néant. Elle travaille sur ce qui existe déjà, soit qu'elle transforme un système ancien pour lui donner une fonction nouvelle, soit qu'elle combine plusieurs systèmes pour en échafauder un autre plus complexe. Le processus de sélection naturelle ne ressemble à aucun aspect du comportement humain. Mais si l'on veut jouer avec une comparaison, il faut dire que la sélection naturelle opère à la manière non d'un ingénieur, mais d'un bricoleur; un bricoleur qui ne sait pas encore ce qu'il va produire, mais récupère tout ce qui lui tombe sous la main, les objets les plus hétéroclites, bouts de ficelle, morceaux de bois, vieux cartons pouvant éventuellement lui fournir des matériaux; bref, un bricoleur qui profite de ce qu'il trouve autour de lui pour en tirer quelque objet utilisable. L'ingénieur ne se met à l'œuvre qu'une fois réunis les matériaux et les outils qui conviennent exactement à son projet. Le bricoleur, au contraire, se débrouille avec des laissés-pour-compte. Le plus souvent les objets qu'il produit ne participent d'aucun projet d'ensemble. Ils sont le résultat d'une série d'événements contingents, le fruit de toutes les occasions qui se sont présentées d'enrichir son bric-à-brac. Comme l'a souligné Claude Lévi-Strauss[19], les outils du bricoleur, contrairement à ceux de l'ingénieur, ne peuvent être définis par aucun programme. Les matériaux dont il dispose n'ont pas d'affectation précise. Chacun d'eux peut servir à des emplois divers. Ces objets n'ont rien de commun si ce n'est qu'on peut en dire : « Ça peut toujours servir. » A quoi ? Ça dépend des circonstances.

A maints égards, le processus de l'évolution ressemble à cette manière de faire. Souvent sans dessein à long terme, le bricoleur prend un objet dans son stock et lui donne une fonction inattendue. D'une vieille roue de voiture, il fait un ventilateur; d'une table cassée, un parasol. Ce genre d'opération ne diffère guère de ce qu'accomplit l'évolution quand elle produit une aile à partir d'une patte, ou un morceau d'oreille avec un fragment de mâchoire. C'est un point qu'avait déjà noté Darwin dans le livre qu'il a consacré à la fécondation des Orchidées[20], comme l'a rappelé Michael Ghiselin[21]. Pour Darwin, les structures nouvelles sont élaborées à partir d'organes préexistants qui, à l'origine, étaient chargés d'une tâche donnée mais se sont progressivement adaptés à des fonctions différentes. Chez les Orchidées, par exemple, il existait une sorte de glu qui, initialement, retenait le pollen sur le stigmate. Après légère modification, cette glu a permis de coller le pollen au corps des insectes qui purent alors assurer la fécondation croisée. De même, beaucoup de structures qui paraissent n'avoir ni signification ni fonction et qui, selon le mot de Darwin, ressemblent « à des morceaux d'anatomie inutile », s'expliquent aisément comme vestiges de quelque fonction plus ancienne. Ainsi, conclut Darwin, « si un homme construit une machine dans une fin déterminée, mais emploie à cet effet, en les modifiant un peu, de vieilles roues, de vieilles poulies et de vieux ressorts, la machine, avec toutes ses parties, pourra être considérée comme organisée en vue de cette fin. Ainsi, dans la nature, il est à présumer que les diverses parties de tout être vivant ont servi, à l'aide de modifications légères, à différents desseins et ont fonctionné dans la machine vivante de plusieurs formes spécifiques anciennes et distinctes ».

L'évolution procède comme un bricoleur qui, pendant des millions et des millions d'années, remanierait lentement son œuvre, la retouchant sans cesse, coupant ici, allongeant là, saisissant toutes les occasions d'ajuster, de transformer, de créer. Voici par exemple comment, selon Ernst Mayr[22], s'est formé le poumon des vertébrés terrestres. Son développement a commencé chez certains poissons d'eau douce qui vivaient dans des mares stagnantes, donc pauvres en oxygène. Ces poissons prirent l'habitude d'avaler de l'air et d'absorber de l'oxygène à travers la paroi de leur œsophage. Dans de telles conditions, tout élargissement de cette paroi se traduisait par un avantage sélectif. Il se forma ainsi des diverticules de l'œsophage qui, sous l'effet d'une pression de sélection continue, s'agrandirent peu à peu pour se transformer en poumons. L'évolution ultérieure du poumon ne fut qu'une élaboration de ce thème, avec l'accroissement de la surface utilisée pour le passage de l'oxygène et pour la vascularisation. Fabriquer un poumon avec un morceau d'œsophage, cela ressemble beaucoup à faire une jupe avec un rideau de grand-mère.

Différents ingénieurs, qui s'attaquent au même problème, ont toutes les chances d'aboutir à la même solution : toutes les voitures se ressemblent, comme se ressemblent toutes les caméras et tous les stylos. En revanche, différents bricoleurs qui s'intéressent à la même question lui trouvent des solutions différentes, selon les occasions qui s'offrent à eux. Il en est de même pour les produits de l'évolution, comme le montre par exemple la diversité des yeux trouvés dans le monde vivant. De toute évidence, posséder des photorécepteurs confère un grand avantage dans de nombreuses situations. Au cours de l'évolution, l'œil est apparu sous des formes très diverses, fondées sur au moins trois principes physiques différents : lentille, trou d'aiguille et tubes multiples. Les plus raffinés, comme les nôtres, sont les yeux à lentille formant image; l'information qu'ils fournissent ne porte pas seulement sur l'intensité de la lumière, mais aussi sur les objets d'où vient la lumière, sur leur forme, couleur, position, mouvement, vitesse, distance, etc. Des structures aussi élaborées sont nécessairement fort complexes. Elles ne peuvent donc se développer que chez des organismes eux-mêmes déjà complexes. On pourrait alors croire qu'il existe une façon et une seule de produire pareille structure. Mais il n'en est rien. L'œil à lentille est apparu deux fois au moins, chez les mollusques et les vertébrés. Rien ne ressemble autant à notre œil que l'œil de la pieuvre. Tous deux fonctionnent presque exactement de la même manière. Et pourtant ils n'ont pas évolué de la même manière. Chez les mollusques, les cellules photoréceptrices sont dirigées vers la lumière et chez les vertébrés en sens inverse. Parmi toutes les solutions trouvées au problème des photorécepteurs, ces deux-là se ressemblent sans toutefois être identiques. Dans chaque cas, la sélection naturelle fait ce qu'elle peut avec les moyens du bord.

Enfin, contrairement à l'ingénieur, le bricoleur qui cherche à améliorer son œuvre préfère souvent ajouter de nouvelles structures aux anciennes plutôt que de remplacer celles-ci. Il en est fréquemment de même avec l'évolution, comme le montre notamment le développement du cerveau chez les mammifères. Le cerveau, en effet, ne s'est pas développé selon un processus aussi intégré que, par exemple, la transformation d'une patte en aile. Au vieux rhinencéphale des mammifères inférieurs s'est ajouté un néocortex qui rapidement, peut-être trop rapidement, a joué le rôle principal dans la séquence évolutive conduisant à l'homme. Pour certains neurobiologistes, notamment McLean[23], ces deux types de structures correspondent à deux types de fonctions; mais elles n'ont été ni coordonnées, ni hiérarchisées complètement. La plus récente, le néocortex, commande l'activité intellectuelle et cognitive. La plus ancienne, venue du rhinencéphale, gouverne les activités viscérales et émotives. Cette vieille structure qui tenait les rênes chez les mammifères inférieurs a été en quelque sorte reléguée au magasin des émotions. Chez l'homme, elle constitue ce que McLean appelle le « cerveau viscéral ». Le développement de l'être humain se caractérise par une extrême lenteur qui entraîne une maturité tardive. C'est peut-être pour cette raison que les vieilles structures cérébrales ont conservé d'étroites connexions avec les centres autonomes inférieurs, qu'elles continuent à coordonner des activités aussi fondamentales que la recherche de nourriture, la chasse au partenaire sexuel ou la réaction devant un ennemi. Formation d'un néocortex dominant, maintien d'un antique système nerveux et hormonal, en partie resté autonome, en partie placé sous la tutelle du néocortex, tout ce processus évolutif ressemble fort à du bricolage. C'est un peu comme l'installation d'un moteur à réaction sur une vieille charrette à cheval. Rien d'étonnant s'il arrive des accidents.

*

C'est probablement au niveau moléculaire que se manifeste le plus clairement l'aspect bricoleur de l'évolution. Ce qui caractérise le monde vivant, ce sont à la fois sa diversité apparente et son unité sous-jacente. Il comprend des bactéries et des baleines, des virus et des éléphants, des organismes vivant à – 20°C dans les régions polaires et d'autres à 70° C dans les sources chaudes. Tous ces organismes présentent, cependant, une remarquable unité de structure et de fonction. Les mêmes polymères, acides nucléiques et protéines, composés des mêmes éléments de base, jouent toujours les mêmes rôles. Le code génétique est le même et la machine à traduire ne change guère. Les mêmes coenzymes interviennent dans des réactions semblables. De la bactérie à l'homme, de nombreuses réactions restent essentiellement les mêmes. Assurément, la vie ne pouvait se constituer qu'après l'apparition de nombreux types moléculaires. Tous les composés qui caractérisent le monde vivant ont nécessairement dû se former au cours de l'évolution chimique qui a précédé l'apparition de la vie et au début de l'évolution biologique. Mais une fois la vie commencée sous forme de quelque organisme primitif capable de se reproduire, c'est surtout par le remaniement des composés existants que devait se poursuivre l'évolution. Avec l'apparition de protéines nouvelles ont pu se développer des fonctions nouvelles. Mais ces protéines ne pouvaient être que des variations sur des thèmes connus. Une séquence de mille nucléotides détermine la structure d'une protéine de taille moyenne. La probabilité de voir une protéine fonctionnelle se former *de novo,* par association au hasard d'acides aminés, est pratiquement zéro. Chez des organismes aussi complexes et intégrés que ceux ayant vécu il y a déjà fort longtemps, la création de séquences nucléiques entièrement nouvelles ne pouvait jouer un rôle important dans la production d'information nouvelle. Durant la majeure partie de l'évolution biologique, la création de structures moléculaires ne pouvait se fonder que sur un remaniement de structures préexistantes. Cela peut se réaliser, par exemple, à la suite de la duplication de gènes. Quand un gène existe en plusieurs exemplaires dans une cellule ou un gamète, il se trouve affranchi des contraintes imposées par la sélection naturelle. Les mutations peuvent donc s'y accumuler plus ou moins librement et donner naissance à une structure nouvelle. Il semble bien que ce processus se soit fréquemment réalisé au cours de l'évolution, comme le montre l'existence de familles de protéines très semblables. De telles protéines sont déterminées par des groupes de gènes qui dérivent d'un ancêtre commun, comme par exemple la famille des globines ou celle des antigènes du complexe majeur d'histocompatibilité.

L'évolution biologique est ainsi fondée sur une sorte de bricolage moléculaire, sur la réutilisation constante du vieux pour faire du neuf. C'est ce qu'illustrent les homologies de séquences observées non seulement entre l'ADN d'organismes différents et même phylogénétiquement distants, mais aussi dans l'ADN d'un même organisme. C'est ce que montrent également les analogies qui se révèlent parmi les protéines à mesure que leurs structures sont mieux connues : non seulement des protéines remplissant des fonctions semblables chez des organismes différents présentent souvent des séquences semblables, mais des protéines assurant des fonctions différentes possèdent parfois d'importants fragments de séquence en commun. Comme si, durant l'évolution, les gènes de structure déterminant la séquence des acides aminés dans les protéines s'étaient formés par la combinaison et la permutation de petits fragments d'ADN.

Le réassortiment de séquences nucléiques, à quoi il faut bien attribuer l'origine de protéines nouvelles, est illustré par un aspect particulier du développement embryonnaire chez les mammifères : la production d'anticorps. Comme on l'a déjà signalé, un mammifère peut produire quelques dizaines ou centaines de millions d'anticorps distincts. Ce nombre est de beaucoup supérieur à celui des gènes de structure contenus dans un génome de mammifère. En fait, seul est utilisé un petit nombre de segments génétiques. Ce qui crée la diversité pendant le développement de l'embryon, c'est l'effet cumulé de plusieurs mécanismes fonctionnant à trois niveaux : 1) Au niveau de la *cellule :* chaque cellule productrice sécrète un type d'anticorps et un seul. Le répertoire des anticorps que peut former l'organisme est produit par l'ensemble de ces cellules. 2) Au niveau de la *protéine :* chaque anticorps est formé par l'association de deux chaînes protéiques, une lourde et une légère; chacune de ces chaînes est prélevée dans un ensemble de quelques milliers et la combinatoire de ces associations crée une diversité de quelques millions d'anticorps. 3) Au niveau du *gène :* chaque gène déterminant la structure de l'une de ces chaînes, lourde ou légère, est préparé au cours du développement de l'embryon par l'union de plusieurs fragments d'ADN, prélevés chacun dans un ensemble de séquences semblables, mais non identiques. Grâce à cette combinatoire, une information génétique en quantité limitée dans la lignée germinale suffit à produire dans les cellules somatiques un nombre énorme de structures protéiques, chacune capable de se fixer sur une molécule différente. Ce processus illustre bien la manière dont opère la nature pour créer la diversité : en combinant sans fin les mêmes morceaux et les mêmes fragments.

La création de nouveaux gènes au cours de l'évolution ne peut certes offrir le même degré de précision et d'efficacité que la formation des anticorps au cours du développement de l'embryon. Mais les mêmes principes pourraient bien être en jeu. Selon toute vraisemblance, c'est par la réunion au hasard de séquences préexistantes d'ADN qu'ont pu se former de nouveaux gènes. En fait, il faut même imaginer qu'un tel mécanisme capable de lier entre eux des segments d'ADN doit remonter très loin dans l'évolution, car les organismes primitifs ne pouvaient, pour débuter, former de grosses protéines. Très vraisemblablement, tout a commencé avec de petites séquences de 30 à 50 nucléotides produites par l'évolution chimique et capables chacune de coder de 10 à 15 acides aminés. C'est seulement après coup que de telles séquences ont dû être unies au hasard par quelque processus de ligature pour former des chaînes protéiques plus longues. Certaines de celles-ci se sont alors avérées utiles et ont été sélectionnées. S'il en est ainsi, on devrait de plus en plus fréquemment trouver des séquences d'ADN communes à ce qui paraît être des gènes non apparentés. A mesure que se déploie l'analyse des séquences nucléiques et protéiques, on devrait voir apparaître un nombre toujours plus grand de familles et de sous-familles. Une fois encore, on voit mal comment l'évolution moléculaire aurait pu procéder si ce n'est en faisant du neuf avec du vieux; en liant ensemble des morceaux d'ADN; bref en bricolant.

Longtemps, on a regardé les chromosomes comme des structures parfaites et pour ainsi dire intangibles. Ils étaient censés contenir juste ce qu'il faut de matériel génétique pour assurer la production de l'organisme et son fonctionnement. Mais, depuis quelques années, des données nouvelles ont conduit à modifier entièrement cette manière de voir. Outre les séquences spécifiques déterminant la structure des protéines, l'ADN des organismes eucaryotes contient une part importante, pouvant dépasser 40 p. 100 du génome, d'ADN non spécifique formé de petites séquences plus ou moins répétées. Même les gènes de structure sont fréquemment interrompus par un nombre variable de séquences interposées, qui sont transcrites en ARN mais sont excisées avant traduction en protéine. En outre, le génome contient une classe d'unités génétiques, connues sous le nom d'« éléments transposables », qui peuvent s'intégrer dans le génome et en ressortir. De tels événements peuvent survenir en de nombreux sites de l'ADN de l'hôte, où ils peuvent entraîner mutations, inversions, transpositions, etc. On n'a trouvé encore aucune fonction à toutes ces séquences et leur statut prête à controverse. D'un côté, la difficulté qu'ont certains à admettre des structures sans fonctions, en particulier dans l'ADN, les a conduits à suggérer toute une série de rôles, liés notamment à l'évolution ou à la régulation de l'activité des gènes. Mais aucune de ces éventualités n'est encore étayée par le moindre argument expérimental. D'un autre côté, on a considéré ces séquences comme de l'ADN parasite, sans aucun rôle dans l'économie de l'organisme. Mais ce n'est pas parce qu'aucune fonction n'est connue qu'aucune fonction n'existe. L'important est de savoir à quel niveau chercher une explication et si elle est nécessaire. En outre, un fragment d'ADN qui se propage d'abord sans influencer le phénotype de l'hôte peut très bien exercer des effets secondaires sur cet hôte. Il peut ainsi finir par conférer quelque avantage sélectif à la descendance de cet hôte. Car la juxtaposition de ces deux particularités : 1) fragmentation des gènes de structure en plus petits segments d'ADN séparés par des séquences interposées et 2) présence, en nombreux exemplaires, d'éléments transposables capables de se disséminer dans le génome et de transférer des segments d'ADN d'une région à l'autre – tout cela fournit exactement les outils requis pour mobiliser des fragments de gènes, les recombiner et les réassortir à l'infini. La plupart des combinaisons nouvelles ne représentent à coup sûr que des déchets. Cependant, l'une d'entre elles peut parfois donner naissance à une structure protéique capable d'accomplir, même de manière inefficace, quelque fonction nouvelle dans la cellule. Des mutations suffisent alors pour affiner la structure. Certes, l'évolution ne prévoit pas. Un élément génétique ne peut être sélectionné parce qu'il pourrait, un jour, avoir quelque utilité. Mais une fois là, et quelle que soit la raison – ou l'absence de raison – de sa présence, une telle structure peut s'avérer « utile ». Elle devient alors la cible d'une pression de sélection sur son hôte.

*

Ce n'est donc pas l'innovation biochimique qui paraît avoir constitué la principale des forces opérant dans la diversification des êtres vivants. La phase réellement créatrice de la biochimie n'a pu survenir que très tôt car l'unité biochimique qui sous-tend l'évolution du monde vivant n'a de sens que si les organismes très primitifs contenaient déjà la plupart des constituants communs aux êtres vivants : systèmes de replication et de traduction, chaînes enzymatiques impliquées dans la synthèse ou la dégradation des métabolites essentiels, systèmes permettant d'acquérir et emmagasiner l'énergie, etc. Passé ce stade, l'évolution biochimique s'est poursuivie à mesure qu'apparaissent des organismes plus complexes. Mais ce ne sont pas les innovations biochimiques qui ont provoqué la diversification des organismes. Selon toute vraisemblance, c'est l'inverse qui a eu lieu. C'est la pression sélective exercée par les changements de comportement ou de niche écologique qui a entraîné des ajustements biochimiques et des remaniements moléculaires. Ce qui distingue un papillon d'un lion, une poule d'une mouche ou un ver d'une baleine, ce sont moins des différences dans les constituants chimiques que dans l'organisation et la distribution de ces constituants. Les quelques grandes étapes de l'évolution ont certes dû exiger une acquisition d'information nouvelle. Mais la spécialisation et la diversification n'ont demandé qu'une utilisation différente de la même information structurale. Quand on analyse les vitesses d'évolution, chez les grenouilles et les mammifères par exemple, on constate que les changements dans la séquence des gènes de structure restent, pour une large part, indépendants des changements anatomiques; chez les groupes voisins, comme les vertébrés, la chimie est la même. En revanche, les changements de régulation qu'on peut repérer en étudiant les chromosomes et la viabilité des hybrides semblent évoluer parallèlement aux changements anatomiques. Comme l'a souligné Allan Wilson[24], les différences entre vertébrés sont un problème de régulation plus que de structure.

Au début du XIXe siècle, von Baer avait déjà noté que chez les organismes voisins, comme les vertébrés, les premières étapes du développement de l'embryon restent très semblables. C'est seulement assez tard au cours de ce développement que se manifestent les divergences. Celles-ci portent moins sur la structure des types cellulaires que sur le nombre et la position des cellules. Ce qui distingue une aile de poulet d'un bras humain, ce sont moins des différences dans les matériaux dont sont faits ces organes que dans la manière de les construire, dans la répartition des molécules et des cellules qui les constituent. Il suffit de petits changements qui redistribuent les mêmes structures dans le temps et l'espace pour modifier profondément la forme, le fonctionnement et le comportement du produit final : l'animal adulte. Il s'agit toujours d'utiliser les mêmes éléments, de les ajuster en retaillant ici ou là, de les agencer en combinaisons différentes pour produire des objets nouveaux de complexité croissante. Il s'agit toujours de bricoler.

C'est bien ce qu'illustre la comparaison des macromolécules chez l'homme et le chimpanzé. Entre ces deux espèces, les très petites différences de gènes de structure ne peuvent rendre compte des grandes différences d'anatomie. En moyenne, une chaîne protéique chez l'homme est pour plus de 99 p. 100 identique à son homologue chez le chimpanzé. Pour une large part, les différences de séquence dans l'ADN correspondent à des redondances du code génétique, ou à des variations dans les régions non transcrites de l'ADN. Pour quelque cinquante gènes de structure, la distance génétique moyenne entre humain et chimpanzé est très petite. Elle est inférieure à la distance moyenne entre espèces sœurs, qu'on distingue à peine par l'anatomie, et très inférieure à la distance entre n'importe quelle paire d'espèces congéniques. Comme l'a montré Allan Wilson, les différences d'organisation entre humains et grands singes ne peuvent se fonder que sur des changements dans quelques gènes de régulation.

Une conclusion semblable a déjà été atteinte par les anatomistes et les paléontologistes qui ont souligné l'importance de ce qu'ils ont appelé « retardement du développement » comme facteur d'évolution. Parmi les événements les plus dramatiques de l'évolution, certains en effet sont liés à des changements qui avancent la maturité sexuelle à un stade plus précoce du développement. Des traits qui jusque-là caractérisaient l'embryon deviennent alors ceux de l'adulte, tandis que disparaissent des caractères qui auparavant appartenaient à l'adulte. Ce processus représente l'un des grands stratagèmes de l'évolution. Tout se passe comme si certains animaux pouvaient pour ainsi dire se débarrasser de la part terminale de leur vie puis reconstruire un nouveau cycle fondé sur les formes de la larve ou de l'embryon. C'est très vraisemblablement un tel mécanisme qui a donné naissance aux vertébrés à partir de quelque invertébré marin. C'est ce même processus qui semble avoir joué un rôle majeur dans la voie qui a mené à l'homme. L'embryon humain se développe selon un schéma de retardement conservant chez l'adulte une série de traits qui, chez les autres primates et les ancêtres de l'homme, caractérisent le petit. A cet égard, il est frappant de constater que les humains ressemblent beaucoup plus à un bébé chimpanzé qu'à un chimpanzé adulte. Bien évidemment, l'homme ne descend pas des grands singes. Depuis qu'ont divergé les lignées menant vers l'homme ou vers les grands singes, chacune a poursuivi sa propre évolution en s'adaptant à des vies différentes. Pourtant l'ancêtre commun ressemblait plus aux singes qu'à l'homme. C'est le fait de conserver pendant l'enfance le mode d'expression des gènes caractérisant l'embryon qui a probablement permis l'évolution de traits aussi typiquement humains qu'une mâchoire réduite, de petites canines, une peau nue et une posture debout. De plus, ce schéma de retardement, cet allongement de l'enfance semble être étroitement lié aux autres traits marquant le processus d'hominisation; notamment au développement du cerveau grâce à la prolongation de la croissance fétale, ou à la socialisation grâce au renforcement des liens familiaux qu'entraîne la nécessité pour les parents de s'occuper si longtemps de leurs petits. Comme l'a récemment souligné Stephen Gould[25], on voit mal comment cet ensemble de propriétés qui caractérisent l'humanité aurait pu émerger hors du contexte d'un développement retardé. Ce qui a entraîné la diversification et la spécialisation des mammifères, c'est donc moins l'apparition de constituants nouveaux qu'une utilisation différente des mêmes constituants. De petits changements dans les circuits régulateurs qui coordonnent le développement de l'embryon suffisent à modifier le taux de croissance des différents tissus ou le temps de synthèse de certaines protéines, accélérant ici, retardant là.

L'évolution est décrite en termes de phylogenèse, c'est-à-dire de différences entre organismes adultes. Mais les différences entre adultes ne reflètent jamais que les différences entre les processus de développement qui produisent ces adultes. C'est surtout par un réseau de contraintes dans le développement qu'opère la sélection naturelle en filtrant les phénotypes qui se réalisent à partir des génotypes possibles. Pour comprendre véritablement les processus de l'évolution, il faut d'abord comprendre le développement embryonnaire. C'est seulement alors qu'on pourra évaluer les changements compatibles avec le plan d'organisation et le fonctionnement d'un organisme, et définir les règles et les contraintes du jeu évolutif. Malheureusement, on ne sait presque rien encore sur le développement de l'embryon.

Les biologistes sont capables de décrire en détail la composition, disons d'une souris. Ils sont capables de dire comment la souris se déplace, comment elle respire, comment elle digère. Mais ils ne savent absolument pas comment elle se construit à partir de la cellule-œuf. Un homme est fait de quelque dix à cent mille milliards de cellules et une souris d'environ cent milliards. Toutes les cellules qui composent un individu sont les descendants directs d'une même cellule, l'œuf fécondé. Elles n'en ont pas moins des propriétés différentes et remplissent des fonctions différentes. On dit souvent que les chromosomes de l'œuf fécondé contiennent une description du futur adulte, codée dans la séquence linéaire de l'ADN. Selon les idées actuelles, ce qui est codé dans les chromosomes, c'est le plan de construction de cet adulte, c'est l'ensemble des instructions requises pour fabriquer ses structures moléculaires selon un programme rigoureux dans l'espace et dans le temps. Mais la logique interne utilisée dans la mise en œuvre de ce programme reste encore totalement inconnue. On admet le plus souvent qu'un démon de Laplace ayant examiné l'œuf fécondé, ses structures moléculaires et son organisation, serait capable de décrire le futur adulte. Mais on ignore encore totalement le type de molécules que le démon devrait examiner en plus de l'ADN, ainsi que le genre d'algorithme qu'il devrait utiliser.

Car la seule logique que maîtrisent les biologistes est à une dimension. Dès qu'on ajoute une seconde dimension, sans parler d'une troisième, ils ne s'y retrouvent plus. Si la biologie moléculaire a pu s'épanouir aussi vite, c'est parce qu'en biologie l'information s'est trouvée être déterminée par des séquences linéaires de sous-unités, les bases dans les acides nucléiques et les acides aminés dans les protéines. Ainsi le message génétique, la relation entre structures primaires, le code, les chaînes du métabolisme, les boucles de régulation, bref toute la logique de l'hérédité fonctionnait en une dimension. Il ne faut pas s'étonner si les biologistes moléculaires ne songent qu'à poursuivre ce genre de travail et continuent d'étudier un monde à une dimension en analysant les séquences de protéines et d'ADN.

Mais l'embryon se développe dans un monde qui n'est plus simplement linéaire. La structure à une dimension des gènes détermine la production de couches cellulaires à deux dimensions; celles-ci se replient de manière précise pour former, en trois dimensions, les tissus et les organes; et ces derniers donnent à l'organisme sa forme, ses propriétés et, selon la formule de Seymour Benzer, son comportement à quatre dimensions[26]. La manière dont tout cela se passe reste encore un mystère. Les biologistes connaissent dans le détail l'anatomie moléculaire d'une main humaine. Ils ignorent totalement la manière dont l'organisme se dicte à lui-même les instructions pour construire cette main, le langage qu'il parle pour désigner un doigt, le procédé qu'il utilise pour sculpter un ongle, le nombre de gènes impliqués, les interactions de ces gènes, etc. On peut considérer le développement et la différenciation cellulaire comme les effets d'une série de décisions binaires, chaque décision déterminant les possibilités ouvertes à la suivante. A chaque fourche serait ainsi éliminé tout un ensemble de possibilités. On admet le plus souvent qu'un tel processus implique une régulation sélective de l'activité des gènes. Mais nous ignorons jusqu'aux principes qui sous-tendent les circuits réglant le nombre des cellules, leur distribution et leurs mouvements, le taux et la direction de leur croissance. Nous ignorons les outils que le développement de l'embryon fournit au bricolage de l'évolution.

*

Toutefois, nous avons appris à imiter certains des processus naturels et, en particulier, à bricoler l'ADN en laboratoire. Nous avons appris à couper cet ADN et à y faire des nœuds, à ajouter ou enlever des fragments là où nous voulons. Nous savons isoler certains gènes de structure, les produire en masse et en analyser l'anatomie jusque dans le détail. Tout ce travail sur l'ADN recombinant est en quelque sorte le triomphe de notre biologie à une dimension. Il apporte un outil nouveau pour étudier certains aspects de la biologie fondamentale ou appliquée.

Pour produire un gène en grande quantité, un gène humain par exemple, il faut l'insérer dans l'équipement génétique d'une bactérie, puis cultiver en masse cette bactérie. Ce genre de travail a soulevé beaucoup de passion et d'hostilité. On l'a accusé d'attenter à la qualité de la vie et même de mettre en danger la vie humaine. Le génie génétique est ainsi devenu l'une des principales causes de méfiance à l'égard de la biologie. Avec toute une série d'autres recherches – études sur le fœtus, maîtrise du comportement, psychochirurgie ou clonage de politiciens – le travail sur l'ADN recombinant est accusé de donner aux biologistes le pouvoir de détériorer et le corps et l'esprit humains. Il est vrai que les innovations de la science peuvent servir au meilleur comme au pire, qu'elles sont sources de malheurs comme de bienfaits. Mais ce qui tue et ce qui asservit, ce n'est pas la science. Ce sont l'intérêt et l'idéologie. Malgré le docteur Frankenstein et le docteur Folamour, les massacres de l'histoire sont plus le fait de prêtres et d'hommes politiques que de scientifiques. Et le mal ne vient pas seulement de situations où l'on utilise intentionnellement la science à des fins de destruction. Il peut aussi être une conséquence lointaine et imprévisible d'actions mises en œuvre pour le bien de l'humanité. Qui aurait pu prévoir la surpopulation comme suite aux développements de la médecine ? Ou la dissémination de germes résistant aux antibiotiques comme suite à l'usage même de ces médicaments ? Ou la pollution comme suite à l'emploi d'engrais permettant d'améliorer les récoltes ? Tous problèmes pour lesquels ont été ou seront trouvées des solutions.

Avec l'ADN recombinant, tout s'est passé en sens inverse. On a prédit l'apocalypse et rien n'est venu. Si ce travail a soulevé des polémiques sans fin, ce n'est pas tellement à cause des dangers qu'on a brandis et qui ne dépassent pas ce qu'on maîtrise depuis longtemps avec la manipulation de bactéries et de virus pathogènes. C'est surtout à cause de l'idée qu'on peut prélever des gènes sur un organisme pour les insérer dans un autre. Voilà ce qui dérange. La notion même d'ADN recombinant est liée au mystérieux et au surnaturel. Elle évoque certains des vieux mythes qui ont leurs racines au plus profond de l'angoisse humaine. Elle fait resurgir la terreur associée à la signification cachée des monstres, la révulsion que cause l'idée de deux êtres unis contre nature.

Des siècles durant, les représentations du Jugement dernier ont fait grand usage de monstres terrifiants. C'est ce qu'illustre, par exemple, l'œuvre de Hiëronymus Bosch. Le lieu de tourment, que Bosch dépeint comme l'Enfer, est peuplé des monstres les plus horribles, les plus effrayants qu'il ait pu imaginer. Et ces monstres, ce sont surtout des hybrides contre nature. Pour subir ce qui apparaît bien comme les plus redoutables punitions de l'Enfer, les pécheurs sont laissés nus face à des créatures aussi répugnantes qu'un amalgame de poisson et de rat, de chien et d'oiseau, ou d'insecte et d'être humain; énormes monstres rampant autour de leurs victimes, les avalant, les précipitant dans d'horribles machines de tortures; affreuses bêtes mangeant, mordant, écartelant, griffant, fouettant et déchirant. De tels hybrides impliquent d'abord une dislocation du corps, puis un réassortiment des morceaux. Comme si, pour créer l'angoisse, Bosch opposait le désordre d'un antimonde à l'harmonie de notre monde.

Le travail sur l'ADN recombinant fait donc renaître de vieux cauchemars. Il a un parfum de savoir défendu. Il réveille de vieux mythes, ces mortels sévèrement punis pour avoir volé un pouvoir réservé aux Dieux. Particulièrement scandaleuse apparaît la preuve qu'on peut si facilement jouer avec la substance qui est à la base de toute vie sur cette planète. Spécialement impardonnable l'idée qu'il faut bien considérer comme le résultat d'un bricolage cosmique ce qui reste à la fois le problème le plus déconcertant et le conte le plus étonnant : la formation d'un être humain; le processus qui, par la fusion d'un spermatozoïde et d'un ovule, met en route la division de la cellule-œuf, qui devient deux cellules, puis quatre cellules, puis une petite boule, puis un petit sac. Puis, quelque part, dans ce petit corps en croissance, s'individualisent quelques cellules qui se multiplient jusqu'à former une masse de quelques dizaines de milliards de cellules nerveuses. Et c'est grâce à ces cellules qu'il devient possible d'apprendre à parler, à lire, à écrire et à compter. C'est avec ces cellules qu'il est possible de jouer du piano, de traverser une rue sans se faire écraser, ou d'aller faire une conférence à l'autre bout du monde. Toutes ces capacités sont contenues dans notre petite masse de cellules, toute la grammaire, la syntaxe, la géométrie, la musique. Et nous n'avons pas la moindre idée sur la manière dont tout cela se construit. Pour moi, c'est l'histoire la plus étonnante qu'on puisse raconter sur cette terre. Beaucoup plus étonnante que n'importe quel roman policier ou de science-fiction.

III

LE TEMPS ET L'INVENTION DE L'AVENIR

« N'apprends pas à un singe à grimper aux arbres. »

CONFUCIUS.

PARMI les déesses de la mythologie grecque, Eos, l'Aurore, apparaît comme l'une des plus séduisantes. A la fin de chaque nuit, Eos aux doigts de rose, vêtue de sa robe safran, se lève de son lit à l'Est, monte sur son char tiré par les chevaux Lampos et Phaeton, puis se dirige vers l'Olympe où elle annonce l'arrivée prochaine de son frère Apollon. Aphrodite devint un jour furieuse de trouver Arès, pour qui elle nourrisait « une passion obstinée », dans le lit d'Eos. Elle condamna celle-ci à convoiter éternellement de jeunes mortels. C'est probablement pourquoi Eos nous paraît si attrayante. Depuis lors, et bien qu'elle fût mariée à Astraeos, Eos se mit en secret, et non sans honte, à séduire les jeunes hommes les uns après les autres : d'abord Orion, fils de Poséidon, l'un des plus élégants mortels; puis Céphalos, qui très poliment refusa ses avances sous le prétexte qu'il ne pouvait tromper sa femme Procris. Eos le métamorphosa en un autre homme par qui Procris se laissa séduire sans difficulté. Céphalos n'eut plus alors le moindre scrupule à satisfaire le désir d'Eos. Après quoi Eos enleva Ceitos, petit-fils d'un certain Mélanos qui était tout à la fois le premier mortel à se voir conférer un don de prophète, le premier à pratiquer la médecine, et mieux encore, le premier à couper son vin avec de l'eau. Ensuite Eos séduisit Ganymède et Tithonos, les deux fils du roi Tros qui donna son nom à Troie. Ganymède était considéré comme le plus bel adolescent vivant sur la terre. C'est pourquoi il fut choisi par l'assemblée des dieux pour devenir l'échanson de Zeus. Il était alors l'amant favori d'Eos. Mais Zeus, qui se mit aussi à le désirer, se déguisa en aigle et enleva Ganymède à Eos. En compensation, Eos supplia Zeus de conférer l'immortalité à son autre amant Tithonos. Ce qui fut accordé par le grand Zeus. Mais une bien triste situation se fit jour quand il apparut que dans sa requête de vie éternelle, Eos avait oublié d'inclure une demande de jeunesse éternelle. Tithonos devint chaque jour plus vieux, plus blanc et plus ratatiné. Qui pis est, il n'arrêtait pas de parler, avec une voix toujours plus chevrotante. En fin de compte, Eos aux doigts de rose en eut assez de le soigner. Malheureusement, une fois conférée, l'immortalité ne peut plus être annulée. Excédée, Eos transforma Tithonos en cigale et l'enferma dans une boîte. S'il faut séparer ces deux cauchemars, la mort et le vieillissement, alors le destin de Tithonos semble pire que le destin inverse : celui de Dorian Gray, qui est mortel mais reste jeune tandis que son portrait accuse progressivement les signes du vieillissement.

On ne comprend pas le mécanisme du vieillissement. Il est véritablement étonnant qu'un organisme complexe, formé par un processus de morphogenèse extraordinairement compliqué, soit incapable d'accomplir la tâche beaucoup plus simple de maintenir en l'état ce qui existe déjà. La sénescence correspond au déclin qui, après la maturité, affecte progressivement avec l'âge la capacité de se reproduire et de survivre. Elle consiste non pas en la dégradation d'un système particulier, mais en la détérioration de tout le corps. Il y a quelques dizaines d'années, on attribuait la sénescence à une baisse de production de certaines hormones, en particulier d'hormones sexuelles. Pour faire rajeunir les personnes âgées, il devait donc suffire de leur implanter des gonades de jeunes singes. Hélas ! le miracle ne se réalisa jamais. La plupart des recherches procèdent de l'idée qu'en fin de compte, le vieillissement sera expliqué par l'altération d'un seul ou d'un petit nombre de processus physiologiques. Mais cela semble de moins en moins probable. Comme les autres fantasmes scientifiques, comme le mouvement perpétuel, la Fontaine de Jouvence n'appartient probablement pas au monde du possible.

La durée maximum de vie est une caractéristique de chaque espèce. Elle est donc déterminée par le génome. On a même considéré la sénescence comme une étape du programme de développement, mais cette notion n'a jamais été précisée. Une fois encore, c'est August Weismann[27] qui plaça la sénescence et ce qu'on appelle souvent « mort naturelle » dans la perspective de l'évolution. « Je regarde la mort comme un phénomène d'adaptation, dit-il, ...parce qu'une durée infinie de l'individu représenterait un luxe tout à fait inopportun. » Il est donc nécessaire que les individus soient continuellement remplacés par des individus nouveaux. « Des individus usés n'ont aucune valeur pour l'espèce, ils lui sont même nuisibles, en prenant la place de ceux qui sont sains. » On a longtemps admis cet argument de Weismann. Mais s'il avait raison de discuter vieillissement et mort d'un point de vue évolutif, il a commis deux péchés. D'abord son argument est circulaire, parce que considérer les vieux organismes comme usés et incapables de se reproduire, c'est prendre pour acquis ce qu'il faut précisément expliquer. Ensuite, dans le raisonnement de Weismann, le mécanisme de sélection est censé fonctionner non pas au niveau de l'individu mais à celui de l'espèce. Et, une fois encore, la sélection naturelle ne peut prévoir ni l'avenir en général ni le destin d'une espèce en particulier. Pour Weismann, non seulement les organismes étaient soumis à un inévitable déclin, semblable à la dégradation des machines, mais, en outre, un mécanisme spécifique de mort avait été agencé par la sélection naturelle afin d'éliminer les organismes âgés et par conséquent inutiles. Cependant, le vieillissement et l'usure mécanique n'ont rien de commun. Et malgré des dizaines d'années de recherche, personne n'a jamais montré l'existence de ce qu'on pourrait appeler un mécanisme de mort.

Il est difficile de comprendre comment un processus qui raccourcit la vie peut être avantagé par la sélection naturelle. Car s'il n'existe pas un mécanisme de mort spécifique, on imaginerait qu'une détérioration lente de l'organisme devrait l'emporter sur une détérioration rapide. Pour éviter ce paradoxe, Medawar[28] et Williams[29] ont cherché à utiliser le fait que la pression de sélection n'opère que dans la période de la vie qui précède la reproduction. Dans chaque espèce, les organismes les plus importants sont ceux qui atteignent la maturité sexuelle, car ce sont ceux qui ont le plus grand pouvoir de propagation. C'est donc à l'époque de sa maturité sexuelle que la sélection naturelle va placer un organisme au mieux de sa forme. Les êtres humains, par exemple, atteignent le maximum de leur vigueur et de leur résistance aux maladies entre 20 et 30 ans, le taux de mortalité étant à son minimum vers 15 ans. Un animal semble ainsi atteindre sa condition la meilleure à la période de reproduction, puis décline après. Pour Medawar et pour Williams, il doit exister des gènes qui ont des effets fâcheux sur l'organisme, soit à cause de mutations délétères, soit à cause de leurs effets multiples, certains bénéfiques et d'autres nuisibles. La sélection naturelle tendrait alors à accumuler les effets nuisibles dans cette phase de la vie qui suit la période de reproduction. D'où une détérioration du corps à la fin de la vie. En d'autres termes, le déclin dans la vieillesse serait le prix à payer pour la vigueur dans la jeunesse. D'une part, la vitesse de sénescence serait accrue par les forces qui tendent à avantager la vigueur dans la jeunesse. D'autre part, elle serait diminuée par d'autres forces qui tendent à retarder les effets nocifs. Ce serait donc l'équilibre entre ces forces opposées qui, en fin de compte, ajusterait le processus de vieillissement et la durée de la vie. Mais il faut bien dire qu'à l'heure actuelle, on ne sait rien de ces hypothétiques gènes aux effets nocifs. Ils restent des entités abstraites.

*

Avec le vieillissement, la notion du temps est inextricablement liée à la vie. Pour les Grecs, le temps était ponctué par une série d'événements cycliques et par la marée sans fin de la vie et de la mort. « Sur terre, dit Homère, les humains passent comme les feuilles : si le vent fait tomber les unes sur le sol, la forêt vigoureuse, au retour du printemps, en fait pousser bien d'autres; chez les hommes ainsi les générations l'une à l'autre succèdent[30]. » Cette notion d'un destin qui échappe s'appliquait à l'ensemble de la réalité, déterminant tout à la fois le cycle des saisons, la périodicité des célébrations et la succession des générations : temps cosmique, temps religieux et temps humain. Plus tard dans l'histoire des Grecs, le temps deviendra divinité sous le nom de Chronos. Dans la théogonie orphique, par exemple, Chronos était à l'origine même du cosmos. Il était représenté comme une sorte de monstre polymorphe d'où émergea l'œuf primordial qui s'ouvrit en deux pour donner naissance, d'abord au ciel et à la terre, puis plus tard aux dieux et aux mortels[31].

Dans notre propre mythologie évolutive, le temps se trouve aussi recevoir un rôle important. Il est regardé comme l'un des facteurs qui ont façonné le monde en général, le monde vivant en particulier. De fait, l'exigence d'un paramètre temps représente l'une des différences caractéristiques entre la biologie et la plupart des aspects de la physique. Car, assez curieusement, il n'y a pas de flèche du temps dans les théories de base de la physique. Dans le monde physique, on trouve certaines asymétries dans le temps, comme l'expansion de l'univers ou la propagation des ondes électromagnétiques à partir de leurs sources. Mais jusqu'à une époque assez récente, on a considéré comme symétriques dans le temps les lois fondamentales de la physique, mécanique quantique ou électromagnétisme; et c'est encore à peu près ce qu'on pense aujourd'hui. La naissance et la mort des particules, par exemple, peuvent être regardées comme des processus strictement inverses. L'asymétrie n'apparaît que dans les phénomènes complémentaires. Jusqu'à l'apparition d'une thermodynamique irréversible, une loi asymétrique dans le temps comme la seconde loi semblait n'être qu'approximativement vraie et pouvoir être déduite de lois temporairement symétriques. Les films projetés à l'envers permettent d'imaginer à quoi ressemblerait un monde dont le temps serait inversé. Un monde où le lait se séparerait du café dans la tasse et giclerait en l'air jusqu'au pot à lait; où les rayons lumineux sortiraient des murs pour converger dans une trappe au lieu de jaillir d'une source; où une pierre lancée hors de l'eau par l'étonnante coopération d'innombrables gouttelettes sauterait le long d'une parabole pour atterrir dans la main d'un être humain. Mais dans un tel monde dont le temps serait inversé, les processus de notre cerveau et la formation de notre mémoire seraient également inversés. Il en serait de même du passé et de l'avenir. Et le monde nous apparaîtrait exactement comme il nous apparaît.

Contrairement à la plupart des branches de la physique, la biologie fait du temps l'un de ses principaux paramètres. La flèche du temps, on la trouve à travers l'ensemble du monde vivant, qui est le produit d'une évolution dans le temps. On la trouve aussi dans chaque organisme qui se modifie sans cesse pendant toute sa vie. Le passé et l'avenir représentent des directions totalement différentes. Chaque être vivant va de la naissance à la mort. La vie de chaque individu est soumise à un développement selon un plan, particularité qui a eu une influence considérable sur la philosophie d'Aristote et, par là, sur toute la culture occidentale, sur sa théologie, son art et sa science. La biologie moléculaire a comblé le fossé qui a longtemps séparé cette caractéristique des êtres vivants, le développement selon un plan, et l'univers physique. La flèche du temps, nécessaire là où il y a vie, fait maintenant partie de notre représentation du monde. C'est la spécialité de la biologie, son estampille pour ainsi dire.

La plupart des organismes possèdent des horloges internes qui règlent leurs cycles physiologiques. Tous ont des systèmes de mémoire qui sont à la base de leur fonctionnement, de leur comportement et même de leur existence. L'un de ces systèmes, le système génétique, est commun à tous les organismes. C'est, en somme, la mémoire de l'espèce. Elle est le résultat de l'évolution. Elle conserve, chiffrée dans l'ADN, la trace des événements qui, génération après génération, ont conduit à la situation actuelle. Comme on l'a précédemment discuté, les gènes ne sont pas influencés directement par les avatars de la vie. Les caractères acquis ne sont pas transmis à la descendance. L'expérience n'enseigne pas l'hérédité. Et si, en fin de compte, l'environnement retentit sur l'hérédité, c'est toujours à travers le long périple et les détours imposés par la sélection naturelle.

Les organismes complexes ont encore acquis deux autres systèmes de mémoires. L'agencement de ces deux systèmes est réglementé par les gènes et ils ont pour fonction d'enregistrer certains événements vécus par l'individu. Le système immunitaire fut à l'origine décelé parce que le corps conserve souvent la mémoire d'une infection. On sait depuis longtemps que certaines maladies ne surviennent pas deux fois chez le même individu. Déjà au XVe siècle, les Chinois réduisaient des croûtes séchées de varioleux en une poudre qu'ils inhalaient pour se protéger de la variole. Trois siècles plus tard, Jenner montra que l'inoculation de la vaccine, maladie apparentée mais bénigne, pouvait protéger contre une infection ultérieure par la variole. Mais le véritable début de l'immunologie comme science date du jour où Pasteur, au lieu d'inoculer une culture fraîche de bactéries capable de tuer une poule en quelques jours, injecta, par accident, une vieille culture du même germe : non seulement la poule survécut à l'injection, mais elle se trouva être ainsi devenue immune contre une nouvelle inoculation d'une culture virulente.

Un siècle plus tard, le système immunitaire se révèle d'une incroyable complexité. Il met en œuvre plusieurs classes de cellules très spécialisées, les cellules lymphoïdes, qui s'associent en combinaisons variées, soit directement de cellule à cellule, soit par l'intermédiaire de signaux chimiques. Au cours du développement de l'embryon, le système immunitaire apprend à distinguer le soi du non-soi : il devient ainsi capable de réagir, et contre les composants du soi qui ont été altérés par certaines maladies, et contre l'irruption dans le corps de molécules étrangères, les « antigènes ». Le corps répond en produisant et en excrétant dans le sang des anticorps qui neutralisent l'antigène; il peut également répondre par l'intermédiaire de cellules spécialisées qui provoquent la destruction de l'antigène comme, par exemple, dans le rejet des greffes. Dans les deux cas, des ensembles de cellules acquièrent le pouvoir de réagir contre un nombre énorme de structures grâce à un système où des segments d'information génétique, en nombre limité, s'associent selon toutes les combinaisons possibles. Dans les deux cas, les cellules capables de réagir sont déjà disponibles et attendent d'être activées par la rencontre avec l'antigène. C'est donc l'expérience de la vie qui, en sélectionnant dans un vaste répertoire de structures préexistantes, permet à l'individu de réaliser ses performances immunologiques.

Le système génétique et le système immunitaire fonctionnent ainsi comme des mémoires qui enregistrent le passé de l'espèce et le passé de l'individu respectivement. Mais un être vivant n'est pas seulement le dernier maillon d'une chaîne ininterrompue d'organismes. La vie est un processus qui ne se borne pas à enregistrer le passé, mais qui se tourne aussi vers l'avenir. Selon toute vraisemblance, le système nerveux fit son apparition comme appareil à coordonner le comportement de diverses cellules chez les organismes multicellulaires. Il devint ensuite machine à enregistrer certains événements de la vie de l'individu. Et, en fin de compte, il devint capable d'inventer l'avenir.

*

Les êtres vivants ne peuvent survivre, croître et se multiplier que grâce à un flux incessant de matière, d'énergie et d'information. C'est donc une nécessité absolue pour un organisme de percevoir son milieu, ou du moins les aspects de son milieu liés à ses exigences vitales. Le plus simple organisme, la plus humble bactérie doit « savoir » le type de nourriture qui est à sa disposition et ajuster son métabolisme en conséquence. Chez les microorganismes, perception et réaction son rigoureusement déterminées par les gènes. Elles se réduisent chacune à une alternative, à oui ou non. Tout ce qu'une bactérie peut percevoir, c'est ce que son programme génétique lui permet de déceler au moyen de quelques protéines dont chacune « reconnaît » spécifiquement un composé particulier. Pour une bactérie, le monde extérieur se réduit à quelques substances en solution.

De toute évidence, l'accroissement de performances dont s'accompagne l'évolution exige un affinement de la perception, un enrichissement de l'information que l'organisme recueille du dehors. Il y a bien des façons, pour les animaux, d'explorer le monde extérieur. Certains le sentent, d'autres l'écoutent, d'autres encore le voient. Chaque organisme possède un équipement particulier qui lui permet d'obtenir une certaine perception du monde extérieur. Chaque espèce vit alors dans son monde sensoriel, duquel les autres espèces peuvent être partiellement ou totalement exclues. C'est ainsi, par exemple, que les abeilles sont insensibles à la lumière rouge, mais voient l'ultraviolet que nous ne percevons pas. L'évolution a donné naissance à toute une série de dispositifs spécifiques, comme le repérage par écho d'ultrasons chez les chauves-souris, l'organe électrique de certains poissons, l'œil infrarouge des serpents, la sensibilité des abeilles à la lumière polarisée, la sensibilité des oiseaux au champ magnétique, etc. Un organisme ne décèle jamais qu'une part de son milieu. Et cette part varie suivant l'organisme.

Chez les vertébrés inférieurs, l'information sensorielle est convertie en information moto-nerveuse de manière rigide. Ces animaux paraissent vivre dans un monde de stimulus globaux qui déclenchent des réactions appropriées, ce que les éthologistes appellent « mécanismes innés de réponse ». Au contraire, chez les oiseaux et plus encore chez les mammifères, l'énorme quantité d'informations venant du milieu est filtrée par les organes des sens et traitée par le cerveau qui produit une représentation simplifiée mais utilisable du monde extérieur. Le cerveau fonctionne non pas en enregistrant une image exacte d'un monde considéré comme une vérité métaphysique, mais en créant sa propre image.

Pour chaque espèce, le monde extérieur tel qu'il est perçu dépend à la fois des organes des sens et de la manière dont le cerveau intègre événements sensoriels et moteurs. Même lorsque des espèces différentes perçoivent une même gamme de stimulus, leur cerveau peut être organisé pour sélectionner des particularités différentes. L'environnement tel qu'il est perçu par des espèces différentes peut, selon la manière dont est traitée l'information, diverger aussi radicalement que si les stimulus reçus venaient de mondes différents. Nous-mêmes, nous sommes si étroitement enfermés dans la représentation du monde imposée par notre équipement sensoriel et nerveux, qu'il nous est difficile de concevoir la possibilité de voir ce monde de manière différente. Nous imaginons mal le monde d'une mouche, d'un ver de terre ou d'une mouette.

Quelle que soit la manière dont un organisme explore son milieu, la perception qu'il en tire doit nécessairement refléter la « réalité » ou, plus spécifiquement, les aspects de la réalité qui sont directement liés à son comportement. Si l'image que se forme un oiseau des insectes qu'il doit apporter en nourriture à ses petits ne reflétait pas certains aspects au moins de la réalité, il n'y aurait plus de petits. Si la représentation que se fait le singe de la branche sur laquelle il veut sauter n'avait rien à voir avec la réalité, il n'y aurait plus de singe. Et s'il n'en était pas de même pour nous, nous ne serions pas ici pour en discuter. Percevoir certains aspects de la réalité est une exigence biologique. Certains aspects seulement, car il est bien évident que notre perception du monde extérieur est massivement filtrée. Notre équipement sensoriel nous permet de voir si un tigre pénètre dans notre chambre à coucher. Il ne nous permet pas de déceler le nuage de particules dont les physiciens nous affirment qu'il constitue la réalité du tigre. Le monde extérieur, dont la « réalité » nous est connue de manière intuitive, paraît ainsi être une création du système nerveux. C'est, en un sens, un monde possible, un modèle qui permet à l'organisme de traiter la masse d'information reçue et de la rendre utilisable pour la vie de tous les jours. On est ainsi conduit à définir une sorte de « réalité biologique » qui est la représentation particulière du monde extérieur que construit le cerveau d'une espèce donnée. La qualité de cette réalité biologique évolue avec le système nerveux en général et le cerveau en particulier.

Il y a quelques années, Harry J. Jerison[32] a suggéré qu'en liaison avec les possibilités du comportement, la qualité de cette « réalité biologique » pourrait bien avoir constitué un facteur de pression sélective dans le développement du cerveau chez les mammifères. Et il attribue au concept de temps l'un des premiers rôles en cette affaire. Au cours de l'évolution, le paramètre temps doit avoir été progressivement incorporé à la représentation du monde, car il pouvait difficilement exister chez les vertébrés inférieurs. Chez les reptiles, par exemple, il ne semble pas que le temps soit perçu. La représentation spatiale est codée par un analyseur localisé dans la rétine elle-même. Les premiers mammifères étaient de petits animaux astreints à une vie nocturne par la présence de grands reptiles, comme les dinosaures, dans les mêmes régions. Pour l'exploration de l'environnement à distance, la vie nocturne conduisit à remplacer la vision par l'audition et l'odorat. Ce qui eut deux conséquences : d'une part, un accroissement de la région auditive du cerveau pour héberger une nouvelle masse de neurones qui ne pouvaient trouver place dans l'oreille; d'autre part, une nouvelle manière de traiter l'information spatiale à l'aide d'un code temporel, un peu à la manière des chauves-souris qui disposent d'un radar et repèrent les objets en émettant un son et en localisant l'origine de son écho. Ultérieurement, d'autres étapes auraient conduit à un accroissement du cerveau et à un enrichissement de la « réalité biologique » chez les mammifères.

Après la disparition des reptiles géants, les mammifères purent mener une vie diurne. Ils n'utilisèrent pas alors le vieil appareil visuel des reptiles. C'est un système beaucoup plus raffiné qui évolua, avec vision en couleurs et analyseurs placés non plus dans la rétine, mais dans le cerveau. Information visuelle et information auditive purent devenir intégrées, grâce à un code spatial et temporel unique permettant d'attribuer l'origine des stimulus lumineux et sonores à des sources communes, c'est-à-dire à des objets qui persistent dans le temps et dans l'espace. Si le cerveau des mammifères supérieurs peut traiter la formidable quantité d'information qui lui arrive par les sens pendant l'éveil, c'est parce que cette information est organisée en masses, en corps qui constituent les « objets » du monde spatio-temporel de l'animal, c'est-à-dire les éléments mêmes de son expérience quotidienne. Il devient en effet possible de conserver l'identification d'un objet en dépit d'une perception qui se modifie sans cesse dans l'espace et dans le temps.

On peut analyser de la même façon les étapes d'encéphalisation qui ont conduit à l'*Homo sapiens*. Là encore, au cours de ce processus s'est enrichie la représentation mentale du monde extérieur. Et là encore, selon Jerison, il faut attribuer un des premiers rôles au temps. Car la pression de sélection qui doit avoir opéré sur les hominidés a dû favoriser un repérage de l'espace par l'audition pour permettre une meilleure localisation des sources de sons. D'où une image toujours plus intégrée et plus cohérente d'un monde spatio-temporel dans lequel il était possible de voir, d'entendre, de sentir et de toucher les objets en mouvement. En outre, la permanence de ces objets dans le temps étant assurée, leur représentation pouvait être mémorisée. La manière dont est organisée cette représentation a certaines conséquences, en particulier pour deux des plus remarquables propriétés du cerveau. D'un côté, les images mémorisées d'événements passés peuvent être fragmentées en leurs parties composantes qui peuvent alors être recombinées pour produire des représentations jusque-là inconnues et des situations nouvelles; d'où la capacité non seulement de conserver les images d'événements passés, mais aussi d'imaginer des événements possibles, et, par conséquent, d'inventer un avenir. De l'autre côté, en combinant la perception auditive de séquences temporelles avec certains changements de l'appareil sensori-moteur de la voix, il devient possible de symboliser et de coder cette représentation cognitive de manière entièrement nouvelle. Selon cette manière de voir, c'est secondairement que le langage aurait servi de système de communication entre individus, comme le pensent de nombreux linguistes. Sa première fonction aurait plutôt été, comme dans les étapes évolutives qui ont accompagné l'apparition des premiers mammifères, la représentation d'une réalité plus fine et plus riche, une manière de traiter plus d'information avec plus d'efficacité. Tout le règne animal démontre la facilité avec laquelle peut s'établir la communication entre individus. Même chez les hominidés qui devaient chasser et vivre en communauté, des codes simples suffisaient pour manier la plupart de ce qu'il faut partager d'information sur les faits immédiats de la vie. En revanche, traduire un monde visuel et auditif de sorte qu'objets et événements soient désignés avec précision et reconnus des semaines ou des années plus tard, cela exige un système de codage beaucoup plus élaboré. Ce qui donne au langage son caractère unique, c'est moins, semble-t-il, de servir à communiquer des directives pour l'action que de permettre la symbolisation, l'évocation d'images cognitives. Nous façonnons notre « réalité » avec nos mots et nos phrases comme nous la façonnons avec notre vue et notre ouïe. Et la souplesse du langage humain en fait aussi un outil sans égal pour le développement de l'imagination. Il se prête à la combinatoire sans fin des symboles. Il permet la création mentale de mondes possibles.

Selon cette manière de voir, chacun de nous vit dans un monde « réel » qui est construit par son cerveau avec l'information apportée par les sens et le langage. C'est ce monde réel qui constitue la scène où se déroulent tous les événements d'une vie. L'expérience à laquelle est exposé le cerveau pendant la vie varie d'un individu à l'autre. Malgré cela, les représentations du monde que créent ces expériences sont suffisamment semblables pour pouvoir être communiquées avec des mots. La conscience pourrait être considérée comme la perception de soi en tant « qu'objet » placé au centre même de la « réalité ». L'existence de soi en tant qu'objet, c'est-à-dire d'une personne, constitue certainement l'une des intuitions les plus profondément ancrées en nous. Il est bien difficile de décider à quel stade de l'évolution on peut déceler un début de conscience de soi. Peut-être en trouve-t-on une indication dans la capacité de se reconnaître dans un miroir. Et cette capacité, on ne la voit apparaître qu'à un certain niveau de complexité dans l'évolution des primates. Quand elle est combinée avec le pouvoir de former des images de la « réalité », de les recombiner, de se former ainsi par l'imagination une représentation de mondes possibles, la conscience de soi donne à l'être humain le pouvoir de reconnaître l'existence d'un passé, d'un avant sa propre vie. Elle lui permet aussi d'imaginer des lendemains, d'inventer un avenir qui contient sa propre mort et même un après sa mort. Elle lui permet de s'arracher à l'actuel pour créer un possible.

La vieille tradition épistémologique, qui est encore en faveur chez beaucoup d'intellectuels, notamment en Europe, se fondait d'abord sur l'introspection. Pour elle, les événements mentaux ne pouvaient être de même nature que les événements physiques. Pourtant on voit mal comment un esprit immatériel aurait pu surgir d'un processus d'évolution par sélection naturelle. Et conférer une sorte de psyché aux particules constituant la matière n'arrange rien. On peut donc difficilement éviter de conclure que l'« esprit » est un produit de l'organisation du cerveau tout comme la « vie » est un produit de l'organisation des molécules. Il n'est pas sûr qu'on puisse jamais savoir comment d'un univers inerte ont émergé des êtres vivants. Ni qu'on puisse jamais comprendre l'évolution du cerveau et l'apparition de cet ensemble de propriétés que nous avons du mal à définir mais que nous appelons la pensée.

Toute tentative pour décrire l'évolution du cerveau et de l'esprit ne peut donc être qu'une simple histoire, un scénario. On peut, en fait, proposer des scénarios très divers selon les arguments – psychologiques, éthologiques, neurologiques, paléontologiques, etc. – auxquels on donne le plus de poids. L'histoire que raconte Jerison est surtout fondée sur des données paléoneurologiques, en particulier sur les tailles relatives du cerveau et du corps. Ces éléments, qui dérivent de l'étude des vertébrés fossiles, permettent de reconstituer les étapes principales du processus d'encéphalisation. Si l'hypothèse de Jerison semble particulièrement attrayante, c'est qu'elle utilise le même élément, la récolte d'informations sur le monde extérieur et la représentation de la réalité, comme facteur de pression sélective persistant tout au long de l'évolution des mammifères, hominidés inclus. On peut même regarder certaines activités humaines, les arts, la production de mythes ou les sciences naturelles, comme des développements culturels dans la même direction. Les arts constituent, en un sens, des efforts pour communiquer par divers moyens certains aspects d'une représentation privée du monde. La production de mythes vise, entre autre, à intégrer des bouts d'informations sur le monde en une représentation publique ayant quelque cohérence. Quant aux sciences de la nature, elles représentent une manière déjà ancienne, mais rénovée à la fin de la Renaissance, d'affiner cette représentation publique du monde et d'apporter une vue plus précise de la réalité. Toutes ces activités font appel à l'imagination humaine. Toutes opèrent en recombinant des fragments de réalité pour créer de nouvelles structures, de nouvelles situations, de nouvelles idées. Et un changement dans la représentation du monde peut entraîner un changement dans le monde physique lui-même, comme le montrent les effets des développements technologiques.

*

Presque tout ce qui caractérise l'humanité se résume par le mot culture. La transmission des traits culturels a une analogie quelque peu superficielle avec celle des traits biologiques. Elle est même souvent désignée sous le nom « d'hérédité culturelle ». La principale ressemblance entre les deux systèmes est leur tendance naturelle au conservatisme avec possibilité de changement et, par conséquent, d'évolution. Mais les traits culturels se propagent par un mécanisme de type lamarckien. L'évolution culturelle peut donc se produire à une vitesse supérieure à celle de l'évolution biologique par plusieurs ordres de grandeur. Par sa biologie, l'être humain du XXe siècle ne semble pas différent de celui qui vécut il y a 30 ou 40000 ans. En revanche, le monde culturel, social et technologique dans lequel meurt un être humain en cette fin de siècle, n'a guère en commun avec celui dans lequel il est né.

Plus un domaine scientifique touche aux affaires humaines, plus les théories en jeu risquent de se trouver en conflit avec les traditions et les croyances. Plus aussi les données qu'apporte la science vont être manipulées et utilisées à des fins idéologiques et politiques. C'est ce qui se passe notamment avec la biologie où l'on voit aujourd'hui se rallumer une vieille querelle sur la part respective de l'inné et de l'acquis dans certaines aptitudes des êtres humains. Chez les organismes simples, le comportement est déterminé de manière très stricte par les gènes. Chez les organismes plus complexes, le programme génétique devient moins contraignant, plus « ouvert », selon l'expression d'Ernst Mayr[33], en ce sens qu'il ne prescrit pas dans le détail les différents aspects du comportement, mais laisse à l'organisme des possibilités de choix. Il lui donne une certaine liberté de réponse. Au lieu d'imposer des instructions rigides, il confère à l'organisme des potentialités et capacités. Cette ouverture du programme génétique augmente au cours de l'évolution pour culminer avec l'humanité. Les quarante-six chromosomes de l'être humain lui confèrent toute une série d'aptitudes, physiques ou mentales, qu'il peut exploiter et développer de manières très variées selon le milieu et la société dans laquelle il grandit et vit. C'est, par exemple, son équipement génétique qui donne à l'enfant la capacité de parler. Mais c'est son milieu qui lui apprend une langue plutôt qu'une autre. Comme n'importe quel caractère, le comportement d'un être humain est façonné par une incessante interaction des gènes et du milieu.

Cette interdépendance du biologique et du culturel est trop souvent sous-estimée, quand elle n'est pas purement et simplement niée, pour des raisons idéologiques et politiques. Au lieu de considérer ces deux facteurs comme complémentaires et indissolublement liés dans la formation de l'être humain, on cherche à les opposer. On veut voir dans l'hérédité et l'environnement deux forces antagonistes dont on cherche à chiffrer la part respective dans le comportement et les aptitudes de l'individu. Comme si, dans la genèse du comportement humain et ses perturbations, ces deux facteurs devaient s'exclure mutuellement. Dans une série de débats sur l'école, sur la psychiatrie, sur la condition des sexes, on voit ainsi s'affronter deux positions extrêmes; deux attitudes qui, pour prendre une analogie avec des machines à musique, considèrent le cerveau humain soit comme une bande magnétique vierge, soit comme un disque de phonographe. Une bande magnétique reçoit du milieu les instructions pour enregistrer et éventuellement rejouer n'importe quel morceau de musique. Un disque, au contraire, ne peut, quel que soit le milieu, que jouer le morceau gravé dans ses sillons.

Les tenants de la bande magnétique sont souvent influencés par l'idéologie marxiste selon laquelle l'individu est entièrement façonné par sa classe sociale et son éducation. Pour eux, les aptitudes mentales de l'être humain n'ont simplement rien à voir avec la biologie et l'hérédité. Tout y est nécessairement affaire de culture, de société, d'apprentissage, de conditionnement, renforcement et mode de production. Ainsi disparaît toute diversité, toute différence d'ordre héréditaire dans les aptitudes et les talents des individus. Seules comptent les différences sociales et les différences d'éducation. La biologie et ses contraintes s'arrêtent devant le cerveau humain ! Sous cette forme extrême, cette attitude est simplement insoutenable. L'apprentissage n'est rien d'autre que la mise en œuvre d'un programme permettant d'acquérir certaines formes de connaissance. On ne peut construire une machine à apprendre sans inscrire dans son programme les conditions et les modalités de cet apprentissage. Une pierre n'apprend pas et des animaux différents apprennent des choses différentes. L'enfant passe par des étapes d'apprentissage bien définies. Et les données de la neurobiologie montrent que les circuits nerveux qui sous-tendent les capacités et aptitudes de l'être humain sont, pour une part au moins, biologiquement déterminés dès la naissance. En un sens, les tenants de la bande magnétique se comportent un peu comme les vitalistes du XIXe siècle. Pour ces derniers, les êtres vivants relevaient non pas des lois de la physique et de la chimie qui régissent les propriétés des corps inertes, mais d'une mystérieuse force vitale. Aujourd'hui, la force vitale a disparu. Comme les corps inertes, les êtres vivants obéissent aux lois de la physique et de la chimie. Simplement, ils obéissent en plus à d'autres lois; ils doivent satisfaire à d'autres contraintes, de nutrition, de reproduction, etc., qui n'ont aucun sens dans le monde inanimé. De la même façon, aux facteurs biologiques viennent, chez l'être humain, se superposer des facteurs psychiques, linguistiques, culturels, sociaux, économiques, etc. On ne peut rendre compte d'un ensemble aussi complexe que le cerveau humain par un seul type de savoir, ni même par une série de savoirs fragmentaires à chacun desquels serait affecté un coefficient particulier selon son importance relative. Si l'étude de l'homme ne peut se réduire à la biologie, elle ne peut pas non plus s'en passer, pas plus que la biologie de la physique.

Tout aussi insoutenable apparaît donc l'attitude opposée, celle du disque de phonographe. Ce point de vue, qui se trouve souvent associé à une philosophie conservatrice, sous-tend des formes variées de racisme et de fascisme. Il attribue à l'hérédité de l'être humain la quasi-totalité de ses aptitudes mentales et nie pratiquement toute influence du milieu, ruinant ainsi tout espoir d'amélioration par l'entraînement et l'apprentissage. Aussi longtemps que le monde apparaissait comme un produit de la création divine, la « nature humaine » n'était qu'un aspect de l'harmonie générale de l'univers. C'était Dieu qui avait conféré un ensemble de propriétés à l'humanité et avait fixé les règles gouvernant la conduite des affaires humaines selon une hiérarchie sociale, économique et politique bien précise. Une fois la création remplacée par l'évolution, il fallait bien que les défenseurs du *statu quo* en matière sociale trouvent un autre argument pour remplacer la volonté divine. Les contraintes de la biologie furent ainsi invoquées comme garantie scientifique imposant des limites au comportement humain. Car si les performances d'un individu ne font que refléter ses potentialités génétiques, les inégalités sociales découlent directement des inégalités biologiques. Il est alors inutile de songer même à changer la hiérarchie sociale.

Dans sa version moderne, cette conception du disque génétique cherche un soutien dans deux domaines. Le premier est le genre de réductionnisme favorisé par les sociobiologistes les plus naïfs, qui veulent voir dans l'esprit humain une machine génétiquement programmée jusque dans le détail. Le second domaine se fonde sur la mesure de ce qu'on appelle le quotient intellectuel, ou QI, et de son héritabilité, études faites notamment en comparant les performances de jumeaux uni et divitellins.

La signification du QI, ce qu'il mesure, la possibilité même de concevoir des épreuves libres de toute contrainte culturelle, tout cela a fait et fait encore l'objet de débats passionnés. Sans vouloir entrer dans ce débat, je voudrais seulement signaler l'étonnement du biologiste devant le principe du QI. Comment peut-on espérer quantifier ce qu'on désigne par intelligence globale – que nous n'arrivons pas même à définir clairement et qui comprend des éléments aussi disparates que la représentation qu'on se fait du monde et des forces qui le régissent, la capacité de réagir à des conjonctures variées dans des conditions variées, la largeur de vues, la rapidité à saisir tous les éléments d'une situation et à prendre une décision, le pouvoir de déceler des analogies plus ou moins cachées, de comparer ce qui au premier abord n'est pas comparable, et bien d'autres qualités encore – comment peut-on espérer quantifier un tel ensemble de propriétés aussi complexes par un simple paramètre variant linéairement sur une échelle de 50 à 150 ? Comme si l'important en science c'était de mesurer, quel que fût l'objet de ces mesures ! Comme si dans le dialogue entre la théorie et l'expérience, la parole était d'abord aux faits ! Une telle croyance est simplement fausse. Dans la démarche scientifique, c'est toujours la théorie qui a le premier mot. Les données expérimentales ne peuvent être acquises, elles ne prennent de signification qu'en fonction de cette théorie. Le caractère émotif de la controverse hérédité-milieu est encore illustré par certaines découvertes récentes concernant ce qui fut longtemps considéré par les partisans du tout-héréditaire comme l'un de leurs plus forts arguments : les résultats obtenus par le psychologue britannique Cyril Burt sur le QI des jumeaux. Ces données se trouvent avoir été, en partie du moins, fabriquées[34].

En fait, sur le comportement de l'être humain et sur les composantes génétiques de ses aptitudes mentales, la biologie d'aujourd'hui n'a guère à dire. La méthode de la génétique consiste, à partir de ce qu'on voit, des caractères observables, de ce qu'on appelle le phénotype, à déduire ce qui est caché, l'état des gènes, ce qu'on appelle le génotype. Cette méthode fonctionne parfaitement lorsque le phénotype reflète plus ou moins directement le génotype. C'est le cas, par exemple, des groupes sanguins ou de certaines malformations héréditaires qu'on peut suivre de génération en génération. C'est le cas aussi de certaines maladies qui semblent liées à la constitution génétique de l'individu. Et le plus souvent, cette liaison a un caractère non de corrélation complète et de fatalité, mais de probabilité d'apparition : les conditions de vie étant les mêmes, tel cancer ou telle polyarthrite surviendra plus fréquemment chez les porteurs de certains génotypes que chez d'autres. En revanche, les méthodes de la génétique s'appliquent mal à l'étude du cerveau humain et de ses performances. En principe, on pourrait imaginer des expériences de sélection artificielle et des mesures d'héritabilité. Mais la sélection artificielle n'est pas réalisable chez l'homme. De plus, les performances intellectuelles telles qu'on peut les observer chez un individu ne reflètent pas directement l'état de ses gènes. Elles reflètent l'état de nombreuses structures intervenant entre le génotype et le phénotype, structures cachées au plus profond du cerveau, fonctionnant à de multiples niveaux d'intégration. Ces structures, nous en ignorons totalement la relation avec les gènes et nous n'y avons aucun accès expérimental. Que l'hérédité joue un rôle dans l'élaboration de telles structures, c'est évident : on sait les dégâts que peuvent entraîner certaines mutations et anomalies chromosomiques dans les performances humaines. Que le milieu ait de son côté une grande importance pour le développement de ces structures, c'est également évident : on sait tout aussi bien les dégâts qu'entraîne le manque d'attention et d'affection chez l'enfant.

Tout enfant normal possède à la naissance la capacité de grandir dans n'importe quelle communauté, de parler n'importe quelle langue, d'adopter n'importe quelle religion, n'importe quelle convention sociale. Ce qui paraît le plus vraisemblable, c'est que le programme génétique met en place ce qu'on pourrait appeler des *structures d'accueil* qui permettent à l'enfant de réagir aux stimulus venus de son milieu, de chercher et repérer des régularités, de les mémoriser puis de réassortir les éléments en combinaisons nouvelles. Avec l'apprentissage, s'affinent et s'élaborent peu à peu ces structures nerveuses. C'est par une interaction constante du biologique et du culturel pendant le développement de l'enfant que peuvent mûrir et s'organiser les structures nerveuses qui sous-tendent les performances mentales. Dans ces conditions, attribuer une fraction de l'organisation finale à l'hérédité et le reste au milieu n'a pas de sens. Pas plus que de demander si le goût de Roméo pour Juliette est d'origine génétique ou culturelle. Comme tout organisme vivant, l'être humain est génétiquement programmé, mais il est programmé pour apprendre. Tout un éventail de possibilités est offert par la nature au moment de la naissance. Ce qui est actualisé se construit peu à peu pendant la vie par l'interaction avec le milieu.

La diversité des individus qu'engendre la reproduction sexuelle dans les populations humaines est rarement prise pour ce qu'elle est : l'un des principaux moteurs de l'évolution, un phénomène naturel sans lequel nous ne serions pas de ce monde. Le plus souvent, cette diversité est considérée soit comme sujet de scandale par ceux qui critiquent l'ordre social et veulent rendre tous les individus équivalents, soit comme moyen d'oppression par ceux qui cherchent à justifier cet ordre social par un prétendu ordre naturel dans lequel ils veulent classer tous les individus en fonction de la « norme », c'est-à-dire d'eux-mêmes. Malgré certaines affirmations, ce n'est pas la science qui détermine la politique, mais la politique qui déforme la science et en mésuse pour y trouver justification et alibi. Par une singulière équivoque, on cherche à confondre deux notions pourtant bien distinctes : l'identité et l'égalité. L'une réfère aux qualités physiques ou mentales des individus; l'autre à leurs droits sociaux et juridiques. La première relève de la biologie et de l'éducation; la seconde de la morale et de la politique. L'égalité n'est pas un concept biologique. On ne dit pas que deux molécules ou deux cellules sont égales. Ni même deux animaux; comme l'a rappelé George Orwell. C'est bien sûr l'aspect social et politique qui est l'enjeu de ce débat, soit qu'on veuille fonder l'égalité sur l'identité, soit que, préférant l'inégalité, on veuille la justifier par la diversité. Comme si l'égalité n'avait pas été inventée précisément *parce que* les êtres humains ne sont pas identiques. S'ils étaient tous aussi semblables que des jumeaux univitellins, la notion d'égalité n'aurait aucun intérêt. Ce qui lui donne sa valeur et son importance, c'est la diversité des individus; ce sont leurs différences dans les domaines les plus variés. La diversité est l'une des grandes règles du jeu biologique. Au fil des générations, ces gènes qui forment le patrimoine de l'espèce s'unissent et se séparent pour produire ces combinaisons chaque fois éphémères et chaque fois différentes que sont les individus. Et cette diversité, cette combinatoire infinie qui rend unique chacun de nous, on ne peut la surestimer. C'est elle qui fait la richesse de l'espèce et lui donne ses potentialités.

*

La diversité est une façon de parer au possible. Elle fonctionne comme une sorte d'assurance sur l'avenir. Et l'une des fonctions les plus profondes, les plus générales des êtres vivants, c'est de regarder en avant, de « faire de l'avenir », disait Valéry[35]. Il n'est pas un seul mouvement, pas une seule attitude qui n'implique un plus tard, un passage à l'instant suivant. Respirer, manger, marcher, c'est anticiper. Voir c'est prévoir. Chacune de nos actions, chacune de nos pensées nous engage dans ce qui sera. Un organisme n'est vivant que dans la mesure où il va vivre encore, ne fût-ce qu'un instant.

La sélection dans une diversité de structures préexistantes semble être un moyen fréquemment utilisé dans le monde vivant pour faire face à un avenir inconnu : avenir à court terme avec la diversité moléculaire, telle qu'on l'observe dans la production des anticorps par les vertébrés; avenir à long terme avec la diversité des espèces – dont le nombre incroyable permet au vivant de s'établir sur cette planète dans les régions les plus diverses et dans les conditions les plus extrêmes – et surtout avec la diversité des individus qui forment la cible principale de la sélection naturelle. Si nous avions tous la même sensibilité à un virus, l'humanité tout entière pourrait être anéantie par une seule épidémie. Nous sommes 4,5 milliards d'individus uniques pour affronter les risques possibles. Et c'est le caractère unique de la personne qui rend si révoltante l'idée de produire des copies conformes par clonage.

Chez les êtres humains, la diversité naturelle

est encore renforcée par la diversité culturelle qui permet à l'humanité de mieux s'adapter à des conditions de vie variées et à mieux utiliser les ressources de ce monde. Mais dans ce domaine pèse la menace de la monotonie, de l'uniformité et de l'ennui. Chaque jour s'amenuise cette extraordinaire variété qu'ont mis les hommes dans leurs croyances, leurs coutumes, leurs institutions. Que les peuples eux-mêmes s'éteignent physiquement ou qu'ils se transforment sous l'influence du modèle qu'impose la civilisation industrielle, bien des cultures sont en passe de disparaître. Si nous ne voulons pas vivre dans un monde envahi par un seul et unique mode de vie, par une seule culture technologique et parlant pidgin, il nous faut faire très attention. Il nous faut mieux utiliser notre imagination.

Notre imagination déploie devant nous l'image toujours renouvelée du possible. Et c'est à cette image que nous confrontons sans cesse ce que nous craignons et ce que nous espérons. C'est à ce possible que nous ajustons nos désirs et nos répugnances. Mais s'il est dans notre nature même de produire de l'avenir, le système est agencé de façon telle que nos prévisions doivent rester incertaines. Nous ne pouvons penser à nous sans un instant suivant, mais nous ne pouvons savoir ce que sera cet instant. Ce que nous devinons aujourd'hui ne se réalisera pas. De toute manière, des changements doivent arriver, mais l'avenir sera différent de ce que nous croyons. Cela s'applique tout particulièrement à la science. La recherche est un processus sans fin dont on ne peut jamais dire comment il évoluera. L'imprévisible est dans la nature même de l'entreprise scientifique. Si ce qu'on va trouver est vraiment nouveau, alors c'est par définition quelque chose d'inconnu à l'avance. Il n'y a aucun moyen de dire où va mener un domaine de recherche donné. C'est pourquoi on ne peut choisir certains aspects de la science et rejeter les autres. Comme l'a souligné Lewis Thomas[36], la science, on l'a ou on ne l'a pas. Et si on l'a, on ne peut pas en prendre seulement ce qu'on aime. Il faut aussi en accepter la part d'imprévu et d'inquiétant.

*

Dans ce livre, j'ai essayé de montrer que l'attitude scientifique a un rôle bien défini dans le dialogue entre le possible et le réel. Le XVIIe siècle a eu la sagesse de considérer la raison comme un outil nécessaire pour traiter les affaires humaines. Les Lumières et le XIXe siècle eurent la folie de penser qu'elle n'était pas seulement nécessaire, mais aussi suffisante pour résoudre tous les problèmes. Aujourd'hui, il serait plus fou encore de décider, comme certains le voudraient, que sous prétexte que la raison n'est pas suffisante, elle n'est pas non plus nécessaire. Certes, la science s'efforce de décrire la nature et de distinguer le rêve de la réalité. Mais il ne faut pas oublier que l'être humain a probablement autant besoin de rêve que de réalité. C'est l'espoir qui donne son sens à la vie. Et l'espoir se fonde sur la perspective de pouvoir un jour transformer le monde présent en un monde possible qui paraît meilleur. Quand Tristan Bernard fut arrêté avec sa femme par la Gestapo, il lui dit : « Le temps de la peur est fini. Maintenant commence le temps de l'espoir. »

RÉFÉRENCES

Chapitre premier

MYTHE ET SCIENCE

1. Buffon, G. L. de. *Histoire des Animaux, Œuvres complètes,* t. III, Imprimeries Royales, Paris, 1774.
2. Weismann, A. *La reproduction sexuelle et sa signification pour la théorie de la sélection naturelle. In* « Essais sur l'Hérédité », C. Reinwald et Cie, Paris, 1892.
3. Fisher, R. A. *The genetical Theory of Natural Selection.* Oxford University Press, 1930.
4. Muller, H. J. *Some genetic aspects of sex.* Amer. Naturalist. 1932, *66,* 118-138.
5. Williams, G. C. *Sex and Evolution.* Princeton University Press, 1975.
6. Maynard Smith, J. *The Evolution of Sex.* Cambridge University Press, 1978.
7. Medawar, P. B. *The Hope of Progress.* Doubleday, New York, 1973.
8. Paley, W. *Natural Theology.* Charles Knight, London 1836. Vol. 1.

9. Lederberg, J. *J. Cell. Comp. Physiol.,* 1958, suppl. 1, *52,* 398.
10. Weismann, A. *La prétendue transmission héréditaire des mutilations. In* « Essais sur l'Hérédité ». C. Reinwald et Cie, Paris 1892.
11. Williams, G. C. *Adaptation and Natural Selection,* Princeton University Press, 1966.
12. Gould, S.J. and R.C. Lewontin. *The spandrels of San Marco and the Panglossian paradigm : a critique of the adaptationist programme.* Proc. R. Soc. London, 1979, *B 205,* 581-598.
13. Voltaire. *Candide. In* « Romans et Contes ». Gallimard, La Pléiade, Paris 1954.
14. Chomsky, N. *Problems of Knowledge and Freedom. The Russell Lectures.* Pantheon Books, New York 1971.

Chapitre II

LE BRICOLAGE DE L'ÉVOLUTION

15. Fernel, J. *De abditis rerum causis, I,* 3. *In* « Opera », Genève, 1637.
16. Paré, A. *Le premier livre de l'anatomie. In* « Œuvres complètes », Paris 1840, t. 1.
17. Cf Dickerson, R. E. *Cytochrome c and the Evolution of Energy Metabolism.* Scientific American, 1980, *242,* 136-153.
18. Simpson, G.G., *How many species?* Evolution, 1952, *6,* 342.
19. Lévi-Strauss, C. *La Pensée sauvage.* Plon, Paris, 1962.
20. Darwin, C. *De la fécondation des Orchidées par les Insectes.* Traduction française

L. Pérolle. C. Reinwald éd. Paris, 1870.
21. GHISELIN, M. *The triumph of the Darwinian Method.* University of California Press, 1969.
22. MAYR, E. *From Molecules to organic Diversity.* Fed. Proc. Am. Soc. Exp. Biol., 1964, *23,* 1231-1235.
23. McLEAN, P. *Psychosomatic Disease and the visceral Brain.* Psychosom. Med., 1949, *11,* 338-353.
24. KING, M. C. and WILSON, A.C. *Evolution at two Levels in Humans and Chimpanzees.* Science, 1975, *188,* 107-116.
25. GOULD, S.J. *Ontogeny and Philogeny.* Harvard University Press, 1977.
26. BENZER, S. *The genetic Dissection of Behavior.* Scientific American, décembre 1973, 24-37.

Chapitre III

LE TEMPS ET L'INVENTION DE L'AVENIR

27. WEISMANN, A. *La durée de la vie. In* « Essais sur l'Hérédité ». C. Reinwald et Cie, Paris, 1892.
28. MEDAWAR, P. B. *The Uniqueness of the Individual.* Basic Books Inc., New York, 1957.
29. WILLIAMS, G. C. *Pleiotropy, Natural Selection and the Evolution of Senescence.* Evolution, 1957, 11, 398-411.
30. HOMÈRE. *Iliade.* Traduction française R. Flacelière. Gallimard, La Pléiade, Paris, 1955.
31. Cf VERNANT, J. P. *Mythe et pensée chez les Grecs.* Maspero, Paris 1971.
32. JERISON, H. J. *Evolution of the Brain and*

Intelligence. Academic Press, New York, 1973.
33. MAYR, E. *The Evolution of Living Systems.* Proc. Nat. Acad. Sci. US, 1964, *51,* 934-941.
34. KAMIN, L. J. *The Science and Politics of IQ.* Erlbaum, Hillsdale, New Jersey, 1974.
35. VALÉRY, P. *Œuvres I.* Gallimard, La Pléiade, Paris 1962.
36. THOMAS, L. *La Méduse et l'Escargot.* Traduction française H. Denès. Préface A. Lwoff. Belfond, Paris 1980.

TABLE

Achevé d'imprimer en mai 2007 en France sur Presse Offset par

La Flèche (Sarthe).
N° d'imprimeur : 39819 – N° d'éditeur : 84349
Dépôt légal 1re publication : mai 1986
Édition 07 – mai 2007
LIBRAIRIE GÉNÉRALE FRANÇAISE – 31, rue de Fleurus – 75278 Paris cedex 06.

42/4045/3